Martine Duchatelet (handwritten)

D0375217 (barcode)

Jean Gi... ... ... en 18...
Après deux années à l'Ecole Normale Su-
périeure, il passe le concours des chancelle-
ries, en 1910. Blessé deux fois pendant la
guerre, il devient en 1918 chef du service
des œuvres françaises à l'étranger, puis chef
des services de presse du quai d'Orsay.
Dès 1909, Giraudoux avait publié sa première œuvre : Les Provinciales et conjointe-
ment à sa carrière diplomatique, il se
consacre à la création littéraire : romans
d'abord et pièces de théâtre ensuite. La
Guerre de Troie n'aura pas lieu *fut créée*
en 1935.
Giraudoux est mort à Paris en 1944.

« La guerre de Troie n'aura pas lieu » dit
Andromaque quand le rideau s'ouvre sur
la cour du palais de Priam.
Pâris n'aime plus Hélène, et Hélène a
perdu le goût de Pâris, mais Troie ne rendra pas la captive car pour tous les hommes de la ville « il n'y a plus que le pas
d'Hélène, là coudée d'Hélène, la portée du
regard d'Hélène... » et les augures, eux-
mêmes, refusent de la laisser partir.
Hector et Ulysse tentent à tout prix de
sauver la paix. Mais la guerre est affaire de
la Fatalité et non de la volonté des hommes, et le geste d'Oïax, l'ivrogne, déclenche
la catastrophe. « La guerre de Troie aura
lieu » conclut Hector, navré.

JEAN GIRAUDOUX

La guerre de Troie
n'aura pas lieu

PIÈCE EN DEUX ACTES

BERNARD GRASSET

© Bernard Grasset, éditeur, 1935.
Tous droits de traduction, de reproduction et d'adaptation
réservés pour tous pays, y compris la Russie.

M. Duchstelet

PERSONNAGES

ANDROMAQUE	Mmes Falconetti.
HÉLÈNE	Madeleine Ozeray.
HÉCUBE	Paule Andral.
CASSANDRE	Marie-Hélène Dasté.
LA PAIX	Andrée Servilanges.
IRIS	Odette Stuart.
	Lisbeth Clairval.
SERVANTES ET TROYENNES	Gilberte Géniat.
	Jacqueline Morane.
LA PETITE POLYXÈNE	Véra Pharès.
HECTOR	MM. Louis Jouvet.
ULYSSE	Pierre Renoir.
DEMOKOS	Romain Bouquet.
PRIAM	Robert Bogar.
PÂRIS	José Noguero.
OIAX	Pierre Morin.
LE GABIER	Alfred Adam.
LE GÉOMÈTRE	Maurice Castel.
ABNÉOS	André Moreau.
TROÏLUS	Bernard Lancrey.
OLPIDÈS	Jacques Terry.
	Paul Menager.
VIEILLARDS	Henry Libéré.
	Henri Saint-Isles.
MESSAGERS	Yves Gladine.
	Jacques Perrin.

Musique de scène composée pour la pièce
par Maurice Jaubert.

LA GUERRE DE TROIE N'AURA PAS LIEU a été représentée pour la première fois le 21 novembre 1935 au Théâtre de l'Athénée, sous la direction de Louis Jouvet.

Pour toute représentation, le théâtre doit demander le texte
définitivement établi pour la scène.

PREMIER ACTE

Terrasse d'un rempart dominé par une terrasse
et dominant d'autres remparts.

ANDROMAQUE, CASSANDRE, UNE JEUNE SERVANTE

ANDROMAQUE

La guerre de Troie n'aura pas lieu, Cassandre!

CASSANDRE

Je te tiens un pari, Andromaque.

ANDROMAQUE

Cet envoyé des Grecs a raison. On va bien le recevoir. On va bien lui envelopper sa petite Hélène, et on la lui rendra.

CASSANDRE

On va le recevoir grossièrement. On ne lui rendra pas Hélène. Et la guerre de Troie aura lieu.

ANDROMAQUE

Oui, si Hector n'était pas là!... Mais il arrive, Cassandre, il arrive! Tu entends assez ses trompettes... En cette minute, il entre dans la ville, victorieux. Je pense qu'il aura son mot à dire. Quand il est parti, voilà trois mois, il m'a juré que cette guerre était la dernière.

CASSANDRE

C'était la dernière. La suivante l'attend.

ANDROMAQUE

Cela ne te fatigue pas de ne voir et de ne pré-
voir que l'effroyable?

CASSANDRE

Je ne vois rien, Andromaque. Je ne prévois rien.
Je tiens seulement compte de deux bêtises, celle
des hommes et celle des éléments.

ANDROMAQUE

Pourquoi la guerre aurait-elle lieu? Pâris ne
tient plus à Hélène. Hélène ne tient plus à Pâris.

CASSANDRE

Il s'agit bien d'eux!

ANDROMAQUE

Il s'agit de quoi?

CASSANDRE

Pâris ne tient plus à Hélène! Hélène ne tient
plus à Pâris! Tu as vu le destin s'intéresser à des
phrases négatives?

ANDROMAQUE

Je ne sais pas ce qu'est le destin.

CASSANDRE

Je vais te le dire. C'est simplement la forme
accélérée du temps. C'est épouvantable.

ANDROMAQUE
Je ne comprends pas les abstractions.

CASSANDRE
A ton aise. Ayons recours aux métaphores. Figure-toi un tigre. Tu la comprends, celle-là? C'est la métaphore pour jeunes filles. Un tigre qui dort.

ANDROMAQUE
Laisse-le dormir.

CASSANDRE
Je ne demande pas mieux. Mais ce sont les affirmations qui l'arrachent à son sommeil. Depuis quelque temps, Troie en est pleine.

ANDROMAQUE
Pleine de quoi?

CASSANDRE
De ces phrases qui affirment que le monde et la direction du monde appartiennent aux hommes en général, et aux Troyens ou Troyennes en particulier...

ANDROMAQUE
Je ne te comprends pas.

CASSANDRE
Hector en cette heure rentre dans Troie?

ANDROMAQUE
Oui. Hector en cette heure revient à sa femme.

CASSANDRE

Cette femme d'Hector va avoir un enfant?

ANDROMAQUE

Oui, je vais avoir un enfant.

CASSANDRE

Ce ne sont pas des affirmations, tout cela?

ANDROMAQUE

Ne me fais pas peur, Cassandre.

UNE JEUNE SERVANTE, qui passe avec du linge.

Quel beau jour, maîtresse!

CASSANDRE

Ah! oui? Tu trouves?

LA JEUNE SERVANTE, qui sort.

Troie touche aujourd'hui son plus beau jour de printemps.

CASSANDRE

Jusqu'au lavoir qui affirme!

ANDROMAQUE

Oh! justement, Cassandre! Comment peux-tu parler de guerre en un jour pareil? Le bonheur tombe sur le monde!

CASSANDRE

Une vraie neige.

ANDROMAQUE

La beauté aussi. Vois ce soleil. Il s'amasse plus de nacre sur les faubourgs de Troie qu'au fond des mers. De toute maison de pêcheur, de tout arbre sort le murmure des coquillages. Si jamais il y a eu une chance de voir les hommes trouver un moyen pour vivre en paix, c'est aujourd'hui... Et pour qu'ils soient modestes... Et pour qu'ils soient immortels...

CASSANDRE

Oui, les paralytiques qu'on a traînés devant les portes se sentent immortels.

ANDROMAQUE

Et pour qu'ils soient bons!... Vois ce cavalier de l'avant-garde se baisser sur l'étrier pour caresser un chat dans ce créneau... Nous sommes peut-être aussi au premier jour de l'entente entre l'homme et les bêtes.

CASSANDRE

Tu parles trop. Le destin s'agite, Andromaque!

ANDROMAQUE

Il s'agite dans les filles qui n'ont pas de mari. Je ne te crois pas.

CASSANDRE

Tu as tort. Ah! Hector rentre dans la gloire chez sa femme adorée!... Il ouvre un œil... Ah! Les hémiplégiques se croient immortels sur leurs petits bancs!... Il s'étire... Ah! Il est aujourd'hui une

chance pour que la paix s'installe sur le monde!...
Il se pourlèche... Et Andromaque va avoir un fils!
Et les cuirassiers se baissent maintenant sur
l'étrier pour caresser les matous dans les créneaux!... Il se met en marche!

ANDROMAQUE

Tais-toi!

CASSANDRE

Et il monte sans bruit les escaliers du palais. Il
pousse du mufle les portes... Le voilà... Le voilà...

LA VOIX D'HECTOR

Andromaque!

ANDROMAQUE

Tu mens!... C'est Hector!

CASSANDRE

Qui t'a dit autre chose?

Scène Deuxième

ANDROMAQUE, CASSANDRE, HECTOR

ANDROMAQUE

Hector!

HECTOR

Andromaque!... (*Ils s'étreignent.*) A toi aussi bonjour, Cassandre! Appelle-moi Pâris, veux-tu. Le plus vite possible. (*Cassandre s'attarde.*) Tu as quelque chose à me dire?

ANDROMAQUE

Ne l'écoute pas!... Quelque catastrophe!

HECTOR

Parle!

CASSANDRE

Ta femme porte un enfant.

SCÈNE TROISIÈME

ANDROMAQUE, HECTOR

Il l'a prise dans ses bras, l'a amenée au banc de pierre, s'est assis près d'elle. Court silence.

HECTOR

Ce sera un fils, une fille?

ANDROMAQUE

Qu'as-tu voulu créer en l'appelant?

HECTOR

Mille garçons... Mille filles...

ANDROMAQUE

Pourquoi? Tu croyais étreindre mille femmes?... Tu vas être déçu. Ce sera un fils, un seul fils.

HECTOR

Il y a toutes les chances pour qu'il en soit un... Après les guerres, il naît plus de garçons que de filles.

ANDROMAQUE

Et avant les guerres?

HECTOR

Laissons les guerres, et laissons la guerre... Elle vient de finir. Elle t'a pris un père, un frère, mais ramené un mari.

ANDROMAQUE

Elle est trop bonne. Elle se rattrapera.

HECTOR

Calme-toi. Nous ne lui laisserons plus l'occasion. Tout à l'heure, en te quittant, je vais solennellement, sur la place, fermer les portes de la guerre. Elles ne s'ouvriront plus.

ANDROMAQUE

Ferme-les. Mais elles s'ouvriront.

HECTOR

Tu peux même nous dire le jour!

ANDROMAQUE

Le jour où les blés seront dorés et pesants, la vigne surchargée, les demeures pleines de couples.

HECTOR

Et la paix à son comble, sans doute?

ANDROMAQUE

Oui. Et mon fils robuste et éclatant.

Hector l'embrasse.

HECTOR

Ton fils peut être lâche. C'est une sauvegarde.

ANDROMAQUE

Il ne sera pas lâche. Mais je lui aurai coupé l'index de la main droite.

HECTOR

Si toutes les mères coupent l'index droit de leur fils, les armées de l'univers se feront la guerre sans index... Et si elles lui coupent la jambe droite, les armées seront unijambistes... Et si elles lui crèvent les yeux, les armées seront aveugles, mais il y aura des armées, et dans la mêlée elles se chercheront le défaut de l'aine, ou la gorge, à tâtons...

ANDROMAQUE

Je le tuerai plutôt.

HECTOR

Voilà la vraie solution maternelle des guerres.

ANDROMAQUE

Ne ris pas. Je peux encore le tuer avant sa naissance.

HECTOR

Tu ne veux pas le voir une minute, juste une minute? Après, tu réfléchiras... Voir ton fils?

ANDROMAQUE

Le tien seul m'intéresse. C'est parce qu'il est de toi, c'est parce qu'il est toi que j'ai peur. Tu ne peux t'imaginer combien il te ressemble. Dans ce néant où il est encore, il a déjà apporté tout ce que tu as mis dans notre vie courante. Il y a tes tendresses, tes silences. Si tu aimes la guerre, il l'aimera... Aimes-tu la guerre?

HECTOR

Pourquoi cette question?

ANDROMAQUE

Avoue que certains jours tu l'aimes.

HECTOR

Si l'on aime ce qui vous délivre de l'espoir, du bonheur, des êtres les plus chers...

ANDROMAQUE

Tu ne crois pas si bien dire... On l'aime.

HECTOR

Si l'on se laisse séduire par cette petite délégation que les dieux vous donnent à l'instant du combat...

ANDROMAQUE

Ah? Tu te sens un dieu, à l'instant du combat?

HECTOR

Très souvent moins qu'un homme... Mais parfois, à certains matins, on se relève du sol allégé, étonné, mué. Le corps, les armes ont un autre poids, sont d'un autre alliage. On est invulnérable. Une tendresse vous envahit, vous submerge, la variété de tendresse des batailles : on est tendre parce qu'on est impitoyable; ce doit être en effet la tendresse des dieux. On avance vers l'ennemi lentement, presque distraitement, mais tendrement. Et l'on évite d'écraser le scarabée. Et l'on chasse le moustique sans l'abattre. Jamais l'homme n'a plus respecté la vie sur son passage...

ANDROMAQUE

Puis l'adversaire arrive?...

HECTOR

Puis l'adversaire arrive, écumant, terrible. On a pitié de lui, on voit en lui, derrière sa bave et ses yeux blancs, toute l'impuissance et tout le dévouement du pauvre fonctionnaire humain qu'il est, du pauvre mari et gendre, du pauvre cousin germain, du pauvre amateur de raki et d'olives qu'il est. On a de l'amour pour lui. On aime sa verrue sur sa joue, sa taie dans son œil. On l'aime... Mais il insiste... Alors on le tue.

ANDROMAQUE

Et l'on se penche en dieu sur ce pauvre corps; mais on n'est pas dieu, on ne rend pas la vie.

HECTOR

On ne se penche pas. D'autres vous attendent. D'autres avec leur écume et leurs regards de haine. D'autres pleins de famille, d'olives, de paix.

ANDROMAQUE

Alors on les tue?

HECTOR

On les tue. C'est la guerre.

ANDROMAQUE

Tous, on les tue?

HECTOR

Cette fois nous les avons tués tous. A dessein.
Parce que leur peuple était vraiment la race de la
guerre, parce que c'est par lui que la guerre
subsistait et se propageait en Asie. Un seul a
échappé.

ANDROMAQUE

Dans mille ans, tous les hommes seront les fils
de celui-là. Sauvetage inutile d'ailleurs... Mon fils
aimera la guerre, car tu l'aimes.

HECTOR

Je crois plutôt que je la hais... Puisque je ne
l'aime plus.

ANDROMAQUE

Comment arrive-t-on à ne plus aimer ce que l'on
adorait? Raconte. Cela m'intéresse.

HECTOR

Tu sais, quand on a découvert qu'un ami est
menteur? De lui tout sonne faux, alors, même ses
vérités... Cela semble étrange à dire, mais la guerre
m'avait promis la bonté, la générosité, le mépris
des bassesses. Je croyais lui devoir mon ardeur et
mon goût à vivre, et toi-même... Et jusqu'à cette
dernière campagne, pas un ennemi que je n'aie
aimé...

ANDROMAQUE

Tu viens de le dire : on ne tue bien que ce
qu'on aime.

HECTOR

Et tu ne peux savoir comme la gamme de la guerre était accordée pour me faire croire à sa noblesse. Le galop nocturne des chevaux, le bruit de vaisselle à la fois et de soie que fait le régiment d'hoplites se frottant contre votre tente, le cri du faucon au-dessus de la compagnie étendue et aux aguets, tout avait sonné jusque-là si juste, si merveilleusement juste...

ANDROMAQUE

Et la guerre a sonné faux, cette fois?

HECTOR

Pour quelle raison? Est-ce l'âge? Est-ce simplement cette fatigue du métier dont parfois l'ébéniste sur son pied de table se trouve tout à coup saisi, qui un matin m'a accablé, au moment où penché sur un adversaire de mon âge, j'allais l'achever? Auparavant ceux que j'allais tuer me semblaient le contraire de moi-même. Cette fois j'étais agenouillé sur un miroir. Cette mort que j'allais donner, c'était un petit suicide. Je ne sais ce que fait l'ébéniste dans ce cas, s'il jette sa varlope, son vernis, ou s'il continue... J'ai continué. Mais de cette minute, rien n'est demeuré de la résonance parfaite. La lance qui a glissé contre mon bouclier a soudain sonné faux, et le choc du tué contre la terre, et, quelques heures plus tard, l'écroulement des palais. Et la guerre d'ailleurs a vu que j'avais compris. Et elle ne se gênait plus... Les cris des mourants sonnaient faux... J'en suis là.

ANDROMAQUE

Tout sonnait juste pour les autres.

HECTOR

Les autres sont comme moi. L'armée que j'ai ramenée hait la guerre.

ANDROMAQUE

C'est une armée à mauvaises oreilles.

HECTOR

Non. Tu ne saurais t'imaginer combien soudain tout a sonné juste pour elle, voilà une heure, à la vue de Troie. Pas un régiment qui ne se soit arrêté d'angoisse à ce concert. Au point que nous n'avons osé entrer durement par les portes, nous nous sommes répandus en groupe autour des murs... C'est la seule tâche digne d'une vraie armée : faire le siège paisible de sa patrie ouverte.

ANDROMAQUE

Et tu n'as pas compris que c'était là la pire fausseté! La guerre est dans Troie, Hector! C'est elle qui vous a reçus aux portes. C'est elle qui me donne à toi ainsi désemparée, et non l'amour.

HECTOR

Que racontes-tu là?

ANDROMAQUE

Ne sais-tu donc pas que Pâris a enlevé Hélène?

HECTOR

On vient de me le dire... Et après?

ANDROMAQUE

Et que les Grecs la réclament? Et que leur envoyé arrive aujourd'hui? Et que si on ne la rend pas, c'est la guerre?

HECTOR

Pourquoi ne la rendrait-on pas? Je la rendrai moi-même.

ANDROMAQUE

Pâris n'y consentira jamais.

HECTOR

Pâris m'aura cédé dans quelques minutes. Cassandre me l'amène.

ANDROMAQUE

Il ne peut te céder. Sa gloire, comme vous dites, l'oblige à ne pas céder. Son amour aussi, comme il dit, peut-être.

HECTOR

C'est ce que nous allons voir. Cours demander à Priam s'il peut m'entendre à l'instant, et rassure-toi. Tous ceux des Troyens qui ont fait et peuvent faire la guerre ne veulent pas la guerre.

ANDROMAQUE

Il reste tous les autres.

CASSANDRE

Voilà Pâris.

Andromaque disparaît.

CASSANDRE, HECTOR, PÂRIS

HECTOR

Félicitations, Pâris. Tu as bien occupé notre absence.

PÂRIS

Pas mal. Merci.

HECTOR

Alors? Quelle est cette histoire d'Hélène?

PÂRIS

Hélène est une très gentille personne. N'est-ce pas, Cassandre?

CASSANDRE

Assez gentille.

PÂRIS

Pourquoi ces réserves, aujourd'hui? Hier encore tu disais que tu la trouvais très jolie.

CASSANDRE

Elle est très jolie, mais assez gentille.

PÂRIS

Elle n'a pas l'air d'une gentille petite gazelle?

CASSANDRE

Non.

PÂRIS

C'est toi-même qui m'as dit qu'elle avait l'air d'une gazelle!

CASSANDRE

Je m'étais trompée. J'ai revu une gazelle depuis.

HECTOR

Vous m'ennuyez avec vos gazelles! Elle ressemble si peu à une femme que cela?

PÂRIS

Oh! Ce n'est pas le type de femme d'ici, évidemment.

CASSANDRE

Quel est le type de femme d'ici?

PÂRIS

Le tien, chère sœur. Un type effroyablement peu distant.

CASSANDRE

Ta Grecque est distante en amour?

PÂRIS

Ecoute parler nos vierges!... Tu sais parfaitement ce que je veux dire. J'ai assez des femmes asiatiques. Leurs étreintes sont de la glu, leurs

baisers des effractions, leurs paroles de la dégluti-
tion. A mesure qu'elles se déshabillent, elles ont
l'air de revêtir un vêtement plus chamarré que
tous les autres, la nudité, et aussi, avec leurs fards,
de vouloir se décalquer sur nous. Et elles se
décalquent. Bref, on est terriblement avec elles...
Même au milieu de mes bras, Hélène est loin de
moi.

HECTOR

Très intéressant! Mais tu crois que cela vaut
une guerre, de permettre à Pâris de faire l'amour
à distance?

CASSANDRE

Avec distance... Il aime les femmes distantes,
mais de près.

PÂRIS

L'absence d'Hélène dans sa présence vaut tout.

HECTOR

Comment l'as-tu enlevée? Consentement ou
contrainte?

PÂRIS

Voyons, Hector! Tu connais les femmes aussi
bien que moi. Elles ne consentent qu'à la
contrainte. Mais alors avec enthousiasme.

HECTOR

A cheval? Et laissant sous ses fenêtres cet amas
de crottin qui est la trace des séducteurs?

PÂRIS

C'est une enquête?

HECTOR

C'est une enquête. Tâche pour une fois de répondre avec précision. Tu n'as pas insulté la maison conjugale, ni la terre grecque?

PÂRIS

L'eau grecque, un peu. Elle se baignait...

CASSANDRE

Elle est née de l'écume, quoi! La froideur est née de l'écume, comme Vénus.

HECTOR

Tu n'as pas couvert la plinthe du palais d'inscriptions ou de dessins offensants, comme tu en es coutumier? Tu n'as pas lâché le premier sur les échos ce mot qu'ils doivent tous redire en ce moment au mari trompé.

PÂRIS

Non, Ménélas était nu sur le rivage, occupé à se débarrasser l'orteil d'un crabe. Il a regardé filer mon canot comme si le vent emportait ses vêtements.

HECTOR

L'air furieux?

PÂRIS

Le visage d'un roi que pince un crabe n'a jamais exprimé la béatitude.

HECTOR

Pas d'autres spectateurs?

PÂRIS

Mes gabiers.

HECTOR

Parfait!

PÂRIS

Pourquoi « parfait »? Où veux-tu en venir?

HECTOR

Je dis « parfait », parce que tu n'as rien commis
d'irrémédiable. En somme, puisqu'elle était désha-
billée, pas un seul des vêtements d'Hélène, pas
un de ses objets n'a été insulté. Le corps seul a
été souillé. C'est négligeable. Je connais assez les
Grecs pour savoir qu'ils tireront une aventure
divine et tout à leur honneur, de cette petite reine
grecque qui va à la mer, et qui remonte tranquil-
lement après quelques mois de sa plongée, le visage
innocent.

CASSANDRE

Nous garantissons le visage.

PÂRIS

Tu penses que je vais ramener Hélène à
Mélénas?

HECTOR

Nous ne t'en demandons pas tant, ni lui... L'envoyé grec s'en charge... Il la repiquera lui-même

dans la mer, comme le piqueur de plantes d'eau, à l'endroit désigné. Tu la lui remettras dès ce soir.

PÂRIS

Je ne sais pas si tu te rends très bien compte de la monstruosité que tu commets, en supposant qu'un homme a devant lui une nuit avec Hélène, et accepte d'y renoncer.

CASSANDRE

Il te reste un après-midi avec Hélène. Cela fait plus grec.

HECTOR

N'insiste pas. Nous te connaissons. Ce n'est pas la première séparation que tu acceptes.

PÂRIS

Mon cher Hector, c'est vrai. Jusqu'ici, j'ai toujours accepté d'assez bon cœur les séparations. La séparation d'avec une femme, fût-ce la plus aimée, comporte un agrément que je sais goûter mieux que personne. La première promenade solitaire dans les rues de la ville au sortir de la dernière étreinte, la vue du premier petit visage de couturière, tout indifférent et tout frais, après le départ de l'amante adorée au nez rougi par les pleurs, le son du premier rire de blanchisseuse ou de fruitière, après les adieux enroués par le désespoir, constituent une jouissance à laquelle je sacrifie bien volontiers les autres... Un seul être vous manque, et tout est repeuplé... Toutes les femmes sont créées à nouveau pour vous, toutes sont à vous, et cela dans la liberté, la dignité, la paix de votre conscience... Oui, tu as bien raison, l'amour comporte des moments vraiment exaltants, ce sont les ruptures... Aussi ne me séparerai-je jamais d'Hélène, car avec elle j'ai l'impression d'avoir rompu avec toutes les autres femmes, et j'ai mille libertés et mille noblesses au lieu d'une.

HECTOR

Parce qu'elle ne t'aime pas. Tout ce que tu dis le prouve.

PÂRIS

Si tu veux. Mais je préfère à toutes les passions cette façon dont Hélène ne m'aime pas

HECTOR

J'en suis désolé. Mais tu la rendras.

PÂRIS

Tu n'es pas le maître ici.

HECTOR

Je suis ton aîné, et le futur maître.

PÂRIS

Alors commande dans le futur. Pour le présent, j'obéis à notre père.

HECTOR

Je n'en demande pas davantage! Tu es d'accord pour que nous nous en remettions au jugement de Priam?

PÂRIS

Parfaitement d'accord.

HECTOR

Tu le jures? Nous le jurons?

CASSANDRE

Méfie-toi, Hector! Priam est fou d'Hélène. Il livrerait plutôt ses filles.

HECTOR

Que racontes-tu là?

PÂRIS

Pour une fois qu'elle dit le présent au lieu de l'avenir, c'est la vérité.

CASSANDRE

Et tous nos frères, et tous nos oncles, et tous nos arrière-grands-oncles!... Hélène a une garde d'honneur, qui assemble tous nos vieillards. Regarde. C'est l'heure de sa promenade... Vois aux créneaux toutes ces têtes à barbe blanche... On dirait les cigognes caquetant sur les remparts.

HECTOR

Beau spectacle. Les barbes sont blanches et les visages rouges.

CASSANDRE

Oui. C'est la congestion. Ils devraient être à la porte du Scamandre, par où entrent nos troupes et la victoire. Non, ils sont aux portes Scées, par où sort Hélène.

HECTOR

Les voilà qui se penchent tout d'un coup, comme les cigognes quand passe un rat.

CASSANDRE

C'est Hélène qui passe...

PÂRIS

Ah oui?

CASSANDRE

Elle est sur la seconde terrasse. Elle rajuste sa sandale, debout, prenant bien soin de croiser haut la jambe.

HECTOR

Incroyable. Tous les vieillards de Troie sont là à la regarder d'en haut.

CASSANDRE

Non. Les plus malins regardent d'en bas.

CRIS AU-DEHORS

Vive la Beauté!

HECTOR

Que crient-ils?

PÂRIS

Ils crient : « Vive la Beauté! »

CASSANDRE

Je suis de leur avis. Qu'ils meurent vite.

CRIS AU-DEHORS

Vive Vénus!

HECTOR

Et maintenant?

CASSANDRE

Vive Vénus... Ils ne crient que des phrases sans r, à cause de leur manque de dents... Vive la Beauté... Vive Vénus... Vive Hélène... Ils croient proférer des cris. Ils poussent simplement le mâchonnement à sa plus haute puissance.

HECTOR

Que vient faire Vénus là-dedans?

CASSANDRE

Ils ont imaginé que c'était Vénus qui nous donnait Hélène... Pour récompenser Pâris de lui avoir décerné la pomme à première vue.

HECTOR

Tu as fait aussi un beau coup ce jour-là!

PÂRIS

Ce que tu es frère aîné!

Scène Cinquième

LES MÊMES. DEUX VIEILLARDS

PREMIER VIEILLARD

D'en bas, nous la voyions mieux...

SECOND VIEILLARD

Nous l'avons même bien vue!

PREMIER VIEILLARD

Mais d'ici elle nous entend mieux. Allez! Une, deux, trois!

TOUS DEUX

Vive Hélène!

DEUXIÈME VIEILLARD

C'est un peu fatigant, à notre âge, d'avoir à descendre et à remonter constamment par des escaliers impossibles, selon que nous voulons la voir ou l'acclamer.

PREMIER VIEILLARD

Veux-tu que nous alternions. Un jour nous l'acclamerons? Un jour nous la regarderons?

DEUXIÈME VIEILLARD

Tu es fou, un jour sans bien voir Hélène!...
Songe à ce que nous avons vu d'elle aujourd'hui!
Une, deux, trois!

TOUS DEUX

Vive Hélène!

PREMIER VIEILLARD

Et maintenant en bas!...

Ils disparaissent en courant.

CASSANDRE

Et tu les vois, Hector. Je me demande comment
vont résister tous ces poumons besogneux.

HECTOR

Notre père ne peut être ainsi.

PÂRIS

Dis-moi, Hector, avant de nous expliquer devant
lui tu pourrais peut-être jeter un coup d'œil sur
Hélène.

HECTOR

Je me moque d'Hélène... Oh! Père, salut!

Priam est entré, escorté d'Hécube, d'Andromaque, du
poète Demokos et d'un autre vieillard. Hécube
tient à la main la petite Polyxène.

HÉCUBE, ANDROMAQUE, CASSANDRE, HECTOR, PÂRIS,
DEMOKOS, LA PETITE POLYXÈNE, LE GÉOMÈTRE

PRIAM

Tu dis?

HECTOR

Je dis, père, que nous devons nous précipiter
pour fermer les portes de la guerre, les verrouiller,
les cadenasser. Il ne faut pas qu'un moucheron
puisse passer entre les deux battants!

PRIAM

Ta phrase m'a paru moins longue.

DEMOKOS

Il disait qu'il se moquait d'Hélène.

PRIAM

Penche-toi... (*Hector obéit.*) Tu la vois?

HÉCUBE

Mais oui, il la voit. Je me demande qui ne la
verrait pas et qui ne l'a pas vue. Elle fait le chemin de ronde.

DEMOKOS

C'est la ronde de la beauté.

PRIAM

Tu la vois?

HECTOR

Oui... Et après?

DEMOKOS

Priam te demande ce que tu vois!

HECTOR

Je vois une femme qui rajuste sa sandale.

CASSANDRE

Elle met un certain temps à rajuster sa sandale.

PÂRIS

Je l'ai emportée nue et sans garde-robe. Ce sont des sandales à toi. Elles sont un peu grandes.

CASSANDRE

Tout est grand pour les petites femmes.

HECTOR

Je vois deux fesses charmantes.

HÉCUBE

Il voit ce que vous tous voyez.

PRIAM

Mon pauvre enfant!

HECTOR

Quoi?

DEMOKOS

Priam te dit : pauvre enfant!

PRIAM

Oui, je ne savais pas que la jeunesse **de Troie**
en était là.

HECTOR

Où en est-elle?

PRIAM

A l'ignorance de la beauté.

DEMOKOS

Et par conséquent de l'amour. Au réalisme, quoi!
Nous autres poètes appelons cela le réalisme.

HECTOR

Et la vieillesse de Troie en est à la beauté et
à l'amour?

HÉCUBE

C'est dans l'ordre. Ce ne sont pas ceux qui font
l'amour ou ceux qui sont la beauté qui ont à les
comprendre.

HECTOR

C'est très courant, la beauté, père. Je ne fais pas
allusion à Hélène, mais elle court les rues.

PRIAM

Hector, ne sois pas de mauvaise foi. Il t'est bien

arrivé dans la vie, à l'aspect d'une femme, de ressentir qu'elle n'était pas seulement elle-même, mais que tout un flux d'idées et de sentiments avait coulé en sa chair et en prenait l'éclat?

DEMOKOS

Ainsi le rubis personnifie le sang.

HECTOR

Pas pour ceux qui ont vu du sang. Je sors d'en prendre.

DEMOKOS

Un symbole, quoi! Tout guerrier que tu es, tu as bien entendu parler des symboles! Tu as bien rencontré des femmes qui, d'aussi loin que tu les apercevais, te semblaient personnifier l'intelligence, l'harmonie, la douceur?

HECTOR

J'en ai vu.

DEMOKOS

Que faisais-tu alors?

HECTOR

Je m'approchais et c'était fini... Que personnifie celle-là?

DEMOKOS

On te le répète, la beauté.

HÉCUBE

Alors, rendez-la vite aux Grecs, si vous voulez

qu'elle vous la personnifie pour longtemps. C'est
une blonde.

DEMOKOS

Impossible de parler avec ces femmes!

HÉCUBE

Alors ne parlez pas des femmes! Vous n'êtes
guère galants, en tout cas, ni patriotes. Chaque
peuple remise son symbole dans sa femme, qu'elle
soit camuse ou lippue. Il n'y a que vous pour aller
le loger ailleurs.

HECTOR

Père, mes camarades et moi rentrons harassés.
Nous avons pacifié notre continent pour toujours.
Nous entendons désormais vivre heureux, nous
entendons que nos femmes puissent nous aimer
sans angoisse et avoir leurs enfants.

DEMOKOS

Sages principes, mais jamais la guerre n'a em-
pêché d'accoucher.

HECTOR

Dis-moi pourquoi nous trouvons la ville trans-
formée, du seul fait d'Hélène! Dis-moi ce qu'elle
nous a apporté, qui vaille une brouille avec les
Grecs!

LE GÉOMÈTRE

Tout le monde te le dira! Moi je peux te le
dire!

HÉCUBE

Voilà le Géomètre!

LE GÉOMÈTRE

Oui, voilà le Géomètre! Et ne crois pas que les géomètres n'aient pas à s'occuper des femmes! Ils sont les arpenteurs aussi de votre apparence. Je ne te dirai pas ce qu'ils souffrent, les géomètres, d'une épaisseur de peau en trop à vos cuisses ou d'un bourrelet à votre cou... Eh bien, les géomètres jusqu'à ce jour n'étaient pas satisfaits de cette contrée qui entoure Troie. La ligne d'attache de la plaine aux collines leur semblait molle, la ligne des collines aux montagnes du fil de fer. Or, depuis qu'Hélène est ici, le paysage a pris son sens et sa fermeté. Et, chose particulièrement sensible aux vrais géomètres, il n'y a plus à l'espace et au volume qu'une commune mesure qui est Hélène. C'est la mort de tous ces instruments inventés par les hommes pour rapetisser l'univers. Il n'y a plus de mètres, de grammes, de lieues. Il n'y a plus que le pas d'Hélène, la coudée d'Hélène, la portée du regard ou de la voix d'Hélène, et l'air de son passage est la mesure des vents. Elle est notre baromètre, notre anémomètre! Voilà ce qu'ils te disent, les géomètres.

HÉCUBE

Il pleure, l'idiot.

PRIAM

Mon cher fils, regarde seulement cette foule, et tu comprendras ce qu'est Hélène. Elle est une

espèce d'absolution. Elle prouve à tous ces vieillards que tu vois là au guet et qui ont mis des
cheveux blancs au fronton de la ville, à celui-là
qui a volé, à celui-là qui trafiquait des femmes, à
celui-là qui manqua sa vie, qu'ils avaient au fond
d'eux-mêmes une revendication secrète, qui était
la beauté. Si la beauté avait été près d'eux, aussi
près qu'Hélène l'est aujourd'hui ils n'auraient pas
dévalisé leurs amis, ni vendu leurs filles, ni bu leur
héritage. Hélène est leur pardon, et leur revanche,
et leur avenir.

HECTOR

L'avenir des vieillards me laisse indifférent.

DEMOKOS

Hector, je suis poète et juge en poète. Suppose
que notre vocabulaire ne soit pas quelquefois touché par la beauté! Suppose que le mot délice
n'existe pas!

HECTOR

Nous nous en passerions. Je m'en passe déjà. Je
ne prononce le mot délice qu'absolument forcé.

DEMOKOS

Oui, et tu te passerais du mot volupté, sans
doute?

HECTOR

Si c'était au prix de la guerre qu'il fallût acheter
le mot volupté, je m'en passerais.

DEMOKOS

C'est au prix de la guerre que tu as trouvé le plus beau, le mot courage.

HECTOR

C'était bien payé.

HÉCUBE

Le mot lâcheté a dû être trouvé par la même occasion.

PRIAM

Mon fils, pourquoi te forces-tu à ne pas nous comprendre?

HECTOR

Je vous comprends fort bien. A l'aide d'un quiproquo, en prétendant nous faire battre pour la beauté, vous voulez nous faire battre pour une femme.

PRIAM

Et tu ne ferais la guerre pour aucune femme?

HECTOR

Certainement non!

HÉCUBE

Et il aurait rudement raison.

CASSANDRE

S'il n'y en avait qu'une peut-être. Mais ce chiffre est largement dépassé.

DEMOKOS

Tu ne ferais pas la guerre pour reprendre Andromaque?

HECTOR

Andromaque et moi avons déjà convenu de moyens secrets pour échapper à toute prison et nous rejoindre.

DEMOKOS

Pour vous rejoindre, si tout espoir est perdu?

ANDROMAQUE

Pour cela aussi.

HÉCUBE

Tu as bien fait de les démasquer, Hector. Ils veulent faire la guerre pour une femme, c'est la façon d'aimer des impuissants.

DEMOKOS

C'est vous donner beaucoup de prix?

HÉCUBE

Ah oui! par exemple!

DEMOKOS

Permets-moi de ne pas être de ton avis. Le sexe à qui je dois ma mère, je le respecterai jusqu'en ses représentantes les moins dignes.

HÉCUBE

Nous le savons. Tu l'y as déjà respecté...

Les servantes accourues au bruit de la dispute éclatent de rire.

PRIAM

Hécube! Mes filles! Que signifie cette révolte de gynécée? Le conseil se demande s'il ne mettra pas la ville en jeu pour l'une d'entre vous; et vous en êtes humiliées?

ANDROMAQUE

Il n'est qu'une humiliation pour la femme, l'injustice.

DEMOKOS

C'est vraiment pénible de constater que les femmes sont les dernières à savoir ce qu'est la femme.

LA JEUNE SERVANTE, qui repasse.

Oh! là! là!

HÉCUBE

Elles le savent parfaitement. Je vais vous le dire, moi, ce qu'est la femme.

DEMOKOS

Ne les laisse pas parler, Priam. On ne sait jamais ce qu'elles peuvent dire.

HÉCUBE

Elles peuvent dire la vérité.

PRIAM

Je n'ai qu'à penser à l'une de vous, mes chéries, pour savoir ce qu'est la femme.

DEMOKOS

Primo. Elle est le principe de notre énergie. Tu le sais bien, Hector. Les guerriers qui n'ont pas un portrait de femme dans leur sac ne valent rien.

CASSANDRE

De votre orgueil, oui.

HÉCUBE

De vos vices.

ANDROMAQUE

C'est un pauvre tas d'incertitude, un pauvre amas de crainte, qui déteste ce qui est lourd, qui adore ce qui est vulgaire et facile.

HECTOR

Chère Andromaque!

HÉCUBE

C'est très simple. Voilà cinquante ans que je suis femme et je n'ai jamais pu encore savoir au juste ce que j'étais.

DEMOKOS

Secundo. Qu'elle le veuille ou non, elle est la seule prime du courage... Demandez au moindre soldat. Tuer un homme, c'est mériter une femme.

ANDROMAQUE

Elle aime les lâches, les libertins. Si Hector était lâche ou libertin, je l'aimerais autant. Je l'aimerais peut-être davantage.

PRIAM

Ne va pas trop loin, Andromaque. Tu prouverais le contraire de ce que tu veux prouver.

LA PETITE POLYXÈNE

Elle est gourmande. Elle ment.

DEMOKOS

Et de ce que représentent dans la vie humaine la fidélité, la pureté, nous n'en parlons pas, hein?

LA SERVANTE

Oh! là! là!

DEMOKOS

Que racontes-tu, toi?

LA SERVANTE

Je dis : Oh! là! là! Je dis ce que je pense.

LA PETITE POLYXÈNE

Elle casse ses jouets. Elle leur plonge la tête dans l'eau bouillante.

HÉCUBE

A mesure que nous vieillissons, nous les femmes, nous voyons clairement ce qu'ont été les hommes, des hypocrites, des vantards, des boucs. A mesure que les hommes vieillissent, ils nous parent de toutes les perfections. Il n'est pas un souillon accolé derrière un mur qui ne se transforme dans vos souvenirs en créature d'amour.

PRIAM

Tu m'as trompé, toi?

HÉCUBE

Avec toi-même seulement, mais cent fois.

DEMOKOS

Andromaque a trompé Hector?

HÉCUBE

Laisse donc Andromaque tranquille. Elle n'a rien à voir dans les histoires de femme.

ANDROMAQUE

Si Hector n'était pas mon mari, je le tromperais avec lui-même. S'il était un pêcheur pied bot, bancal, j'irais le poursuivre jusque dans sa cabane. Je m'étendrais dans les écailles d'huîtres et les algues. J'aurais de lui un fils adultère.

LA PETITE POLYXÈNE

Elle s'amuse à ne pas dormir la nuit, tout en fermant les yeux.

HÉCUBE à Polyxène.

Oui, tu peux en parler, toi! C'est épouvantable! Que je t'y reprenne!

LA SERVANTE

Il n'y a pire que l'homme. Mais celui-là!

DEMOKOS

Et tant pis si la femme nous trompe! Tant pis si elle-même méprise sa dignité et sa valeur. Puisqu'elle n'est pas capable de maintenir en elle cette forme idéale qui la maintient rigide et écarte les rides de l'âme, c'est à nous de le faire...

LA SERVANTE

Ah! le bel embauchoir!

PÂRIS

Il n'y a qu'une chose qu'elles oublient de dire :
qu'elles ne sont pas jalouses.

PRIAM

Chères filles, votre révolte même prouve que
nous avons raison. Est-il une plus grande générosité
que celle qui vous pousse à vous battre en ce moment pour la paix, la paix qui vous donnera des
maris veules, inoccupés, fuyants, quand la guerre
vous fera d'eux des hommes!...

DEMOKOS

Des héros.

HÉCUBE

Nous connaissons le vocabulaire. L'homme en
temps de guerre s'appelle le héros. Il peut ne pas
en être plus brave, et fuir à toutes jambes. Mais
c'est du moins un héros qui détale.

ANDROMAQUE

Mon père, je vous en supplie. Si vous avez cette
amitié pour les femmes, écoutez ce que toutes les
femmes du monde vous disent par ma voix. Laissez-
nous nos maris comme ils sont. Pour qu'ils gardent
leur agileté et leur courage, les dieux ont créé
autour d'eux tant d'entraîneurs vivants ou non
vivants! Quand ce ne serait que l'orage! Quand ce
ne serait que les bêtes! Aussi longtemps qu'il y
aura des loups, des éléphants, des onces, l'homme

aura mieux que l'homme comme émule et comme adversaire. Tous ces grands oiseaux qui volent autour de nous, ces lièvres dont nous les femmes confondons le poil avec les bruyères, sont de plus sûrs garants de la vue perçante de nos maris que l'autre cible, que le cœur de l'ennemi emprisonné dans sa cuirasse. Chaque fois que j'ai vu tuer un cerf ou un aigle, je l'ai remercié. Je savais qu'il mourait pour Hector. Pourquoi voulez-vous que je doive Hector à la mort d'autres hommes?

PRIAM

Je ne le veux pas, ma petite chérie. Mais savez-vous pourquoi vous êtes là, toutes si belles et si vaillantes? C'est parce que vos maris et vos pères et vos aïeux furent des guerriers. S'ils avaient été paresseux aux armes, s'ils n'avaient pas su que cette occupation terne et stupide qu'est la vie se justifie soudain et s'illumine par le mépris que les hommes ont d'elle, c'est vous qui seriez lâches et réclameriez la guerre. Il n'y a pas deux façons de se rendre immortel ici-bas, c'est d'oublier qu'on est mortel!

ANDROMAQUE

Oh! justement, père, vous le savez bien! Ce sont les braves qui meurent à la guerre. Pour ne pas y être tué, il faut un grand hasard ou une grande habileté. Il faut avoir courbé la tête ou s'être agenouillé au moins une fois devant le danger. Les soldats qui défilent sous les arcs de triomphe sont ceux qui ont déserté la mort. Comment un pays pourrait-il gagner dans son honneur et dans sa force en les perdant tous les deux?

PRIAM

Ma fille, la première lâcheté est la première ride d'un peuple.

ANDROMAQUE

Où est la pire lâcheté? Paraître lâche vis-à-vis des autres, et assurer la paix? Ou être lâche vis-à-vis de soi-même et provoquer la guerre?

DEMOKOS

La lâcheté est de ne pas préférer à toute mort la mort pour son pays.

HÉCUBE

J'attendais la poésie à ce tournant. Elle n'en manque pas une.

ANDROMAQUE

On meurt toujours pour son pays! Quand on a vécu en lui digne, actif, sage, c'est pour lui aussi qu'on meurt. Les tués ne sont pas tranquilles sous la terre, Priam. Ils ne se fondent pas en elle pour le repos et l'aménagement éternel. Ils ne deviennent pas sa glèbe, sa chair. Quand on retrouve dans le sol une ossature humaine, il y a toujours une épée près d'elle. C'est un os de la terre, un os stérile. C'est un guerrier.

HÉCUBE

Ou alors que les vieillards soient les seuls guerriers. Tout pays est le pays de la jeunesse. Il meurt quand la jeunesse meurt.

DEMOKOS

Vous nous ennuyez avec votre jeunesse. Elle sera la vieillesse dans trente ans.

CASSANDRE

Erreur.

HÉCUBE

Erreur! Quand l'homme adulte touche à ses quarante ans, on lui substitue un vieillard. Lui disparaît. Il n'y a que des rapports d'apparence entre les deux. Rien de l'un ne continue en l'autre.

DEMOKOS

Le souci de ma gloire a continué, Hécube.

HÉCUBE

C'est vrai. Et les rhumatismes...

Nouveaux éclats de rire des servantes.

HECTOR

Et tu écoutes cela sans mot dire, Pâris! Et il ne te vient pas à l'esprit de sacrifier une aventure pour nous sauver d'années de discorde et de massacre?

PÂRIS

Que veux-tu que je te dise! Mon cas est international.

HECTOR

Aimes-tu vraiment Hélène, Pâris?

CASSANDRE

Ils sont le symbole de l'amour. Ils n'ont même plus à s'aimer.

PÂRIS

J'adore Hélène.

CASSANDRE, au rempart.

La voilà, Hélène.

HECTOR

Si je la convaincs de s'embarquer, tu acceptes?

PÂRIS

J'accepte, oui.

HECTOR

Père, si Hélène consent à repartir pour la Grèce, vous la retiendrez de force?

PRIAM

Pourquoi mettre en question l'impossible?

HÉCUBE

Et pourquoi l'impossible? Si les femmes sont le quart de ce que vous prétendez, Hélène partira d'elle-même.

PÂRIS

Père, c'est moi qui vous en prie. Vous les voyez et entendez. Cette tribu royale, dès qu'il est question d'Hélène, devient aussitôt un assemblage de belle-mère, de belles-sœurs, et de beau-père digne de la meilleure bourgeoisie. Je ne connais pas d'emploi plus humiliant dans une famille nombreuse que le rôle du fils séducteur. J'en ai assez de leurs insinuations. J'accepte le défi d'Hector.

DEMOKOS

Hélène n'est pas à toi seul, Pâris. Elle est à la ville. Elle est au pays.

LE GÉOMÈTRE

Elle est au paysage.

HÉCUBE

Tais-toi, géomètre.

CASSANDRE

La voilà, Hélène...

HECTOR

Père, je vous le demande. Laissez-moi ce recours. Ecoutez... On nous appelle pour la cérémonie. Laissez-moi et je vous rejoins.

PRIAM

Vraiment, tu acceptes, Pâris?

PÂRIS

Je vous en conjure.

PRIAM

Soit. Venez, mes enfants. Allons préparer les portes de la guerre.

CASSANDRE

Pauvres portes. Il faut plus d'huile pour les fermer que pour les ouvrir.

Priam et sa suite s'éloignent. Demokos est resté.

HECTOR

Qu'attends-tu là?

DEMOKOS

Mes transes.

HECTOR

Tu dis?

DEMOKOS

Chaque fois qu'Hélène apparaît, l'inspiration me saisit. Je délire, j'écume et j'improvise. Ciel, la voilà!

Il déclame.

Belle Hélène, Hélène de Sparte,
A gorge douce, à noble chef,
Les dieux nous gardent que tu partes,
Vers ton Ménélas derechef!

HECTOR

Tu as fini de terminer tes vers avec ces coups de marteau qui nous enfoncent le crâne.

DEMOKOS

C'est une invention à moi. J'obtiens des effets bien plus surprenants encore. Ecoute :

Viens sans peur au-devant d'Hector,
La gloire et l'effroi du Scamandre!
Tu as raison et lui a tort...
Car il est dur et tu es tendre...

HECTOR

File!

DEMOKOS

Qu'as-tu à me regarder ainsi? Tu as l'air de détester autant la poésie que la guerre.

HECTOR

Va! Ce sont les deux sœurs!

Le poète disparaît.

CASSANDRE, annonçant.

Hélène!

HÉLÈNE, PÂRIS, HECTOR

PÂRIS

Hélène chérie, voici Hector. Il a des projets sur toi, des projets tout simples. Il veut te rendre aux Grecs et te prouver que tu ne m'aimes pas... Dis-moi que tu m'aimes, avant que je te laisse avec lui... Dis-le-moi comme tu le penses.

HÉLÈNE

Je t'adore, chéri.

PÂRIS

Dis-moi qu'elle était belle, la vague qui t'emporta de Grèce!

HÉLÈNE

Magnifique! Une vague magnifique!... Où as-tu vu une vague? La mer était si calme...

PÂRIS

Dis-moi que tu hais Ménélas...

HÉLÈNE

Ménélas? Je le hais.

PÂRIS

Tu n'as pas fini... Je ne retournerai jamais en Grèce. Répète.

HÉLÈNE

Tu ne retourneras jamais en Grèce.

PÂRIS

Non, c'est de toi qu'il s'agit.

HÉLÈNE

Bien sûr! Que je suis sotte!... Jamais je ne retournerai en Grèce.

PÂRIS

Je ne le lui fais pas dire... A toi maintenant.

Il s'en va.

Scène Huitième

HÉLÈNE, HECTOR

HECTOR

C'est beau, la Grèce?

HÉLÈNE

Pâris l'a trouvée belle.

HECTOR

Je vous demande si c'est beau la Grèce sans Hélène?

HÉLÈNE

Merci pour Hélène.

HECTOR

Enfin, comment est-ce, depuis qu'on en parle?

HÉLÈNE

C'est beaucoup de rois et de chèvres éparpillés sur du marbre.

HECTOR

Si les rois sont dorés et les chèvres angora, cela ne doit pas être mal au soleil levant.

HÉLÈNE

Je me lève tard.

HECTOR

Des dieux aussi, en quantité? Pâris dit que le ciel en grouille, que des jambes de déesses en pendent.

HÉLÈNE

Pâris va toujours le nez levé. Il peut les avoir vues.

HECTOR

Vous, non?

HÉLÈNE

Je ne suis pas douée. Je n'ai jamais pu voir un poisson dans la mer. Je regarderai mieux quand j'y retournerai.

HECTOR

Vous venez de dire à Pâris que vous n'y retourneriez jamais.

HÉLÈNE

Il m'a priée de le dire. J'adore obéir à Pâris.

HECTOR

Je vois. C'est comme pour Ménélas. Vous ne le haïssez pas?

HÉLÈNE

Pourquoi le haïrais-je?

HECTOR

Pour la seule raison qui fasse vraiment haïr. Vous l'avez trop vu.

HÉLÈNE

Ménélas? Oh! non! Je n'ai jamais bien vu Ménélas, ce qui s'appelle vu. Au contraire.

HECTOR

Votre mari?

HÉLÈNE

Entre les objets et les êtres, certains sont colorés pour moi. Ceux-là je les vois. Je crois en eux. Je n'ai jamais bien pu voir Ménélas.

HECTOR

Il a dû pourtant s'approcher très près.

HÉLÈNE

J'ai pu le toucher. Je ne peux pas dire que je l'ai vu.

HECTOR

On dit qu'il ne vous quittait pas.

HÉLÈNE

Evidemment. J'ai dû le traverser bien des fois sans m'en douter.

HECTOR

Tandis que vous avez vu Pâris?

HÉLÈNE

Sur le ciel, sur le sol, comme une découpure.

HECTOR

Il s'y découpe encore. Regardez-le, là-bas, adossé au rempart.

HÉLÈNE

Vous êtes sûr que c'est Pâris, là-bas?

HECTOR

C'est lui qui vous attend.

HÉLÈNE

Tiens! Il est beaucoup moins net!

HECTOR

Le mur est cependant passé à la chaux fraîche. Tenez, le voilà de profil!

HÉLÈNE

C'est curieux comme ceux qui vous attendent se découpent moins bien que ceux que l'on attend!

HECTOR

Vous êtes sûre qu'il vous aime, Pâris?

HÉLÈNE

Je n'aime pas beaucoup connaître les sentiments des autres. Rien ne gêne comme cela. C'est comme au jeu quand on voit dans le jeu de l'adversaire. On est sûr de perdre.

HECTOR

Et vous, vous l'aimez?

HÉLÈNE

Je n'aime pas beaucoup connaître non plus mes propres sentiments.

HECTOR

Voyons! Quand vous venez d'aimer Pâris, qu'il s'assoupit dans vos bras, quand vous êtes encore ceinturée par Pâris, comblée par Pâris, vous n'avez aucune pensée?

HÉLÈNE

Mon rôle est fini. Je laisse l'univers penser à ma place. Cela, il le fait mieux que moi.

HECTOR

Mais le plaisir vous rattache bien à quelqu'un, aux autres ou à vous-même.

HÉLÈNE

Je connais surtout le plaisir des autres... Il m'éloigne des deux...

HECTOR

Il y a eu beaucoup de ces autres, avant Pâris?

HÉLÈNE

Quelques-uns.

HECTOR

Et il y en aura d'autres après lui, n'est-ce pas, pourvu qu'ils se découpent sur l'horizon, sur le mur ou sur le drap? C'est bien ce que je supposais. Vous n'aimez pas Pâris, Hélène. Vous aimez les hommes!

HÉLÈNE

Je ne les déteste pas. C'est agréable de les frotter contre soi comme de grands savons. On en est toute pure...

HECTOR

Cassandre! Cassandre!

SCÈNE NEUVIÈME

HÉLÈNE, CASSANDRE, HECTOR

CASSANDRE

Qu'y a-t-il?

HECTOR

Tu me fais rire. Ce sont toujours les devineresses qui questionnent.

CASSANDRE

Pourquoi m'appelles-tu?

HECTOR

Cassandre, Hélène repart ce soir avec l'envoyé grec.

HÉLÈNE

Moi? Que contez-vous là?

HECTOR

Vous ne venez pas de me dire que vous n'aimez pas très particulièrement Pâris?

HÉLÈNE

Vous interprétez. Enfin, si vous voulez.

HECTOR

Je cite mes auteurs. Que vous aimez surtout frotter les hommes contre vous comme de grands savons?

HÉLÈNE

Oui. Ou de la pierre ponce, si vous aimez mieux. Et alors?

HECTOR

Et alors, entre ce retour vers la Grèce qui ne vous déplaît pas, et une catastrophe aussi redoutable que la guerre, vous hésiteriez à choisir?

HÉLÈNE

Vous ne me comprenez pas du tout, Hector. Je n'hésite pas à choisir. Ce serait trop facile de dire « Je fais ceci », ou « Je fais cela » pour que ceci ou cela se fît. Vous avez découvert que je suis faible. Vous en êtes tout joyeux. L'homme qui découvre la faiblesse d'une femme, c'est le chasseur à midi qui découvre une source. Il s'en abreuve. Mais n'allez pourtant pas croire, parce que vous avez convaincu la plus faible des femmes, que vous avez convaincu l'avenir. Ce n'est pas en manœuvrant des enfants qu'on détermine le destin...

HECTOR

Les subtilités et les riens grecs m'échappent.

HÉLÈNE

Il ne s'agit pas de subtilités et de riens. Il s'agit au moins de monstres et de pyramides.

HECTOR

Choisissez-vous le départ, oui ou non?

HÉLÈNE

Ne me brusquez pas... Je choisis les événements comme je choisis les objets et les hommes. Je choisis ceux qui ne sont pas pour moi des ombres. Je choisis ceux que je vois.

HECTOR

Je sais, vous l'avez dit : ceux que vous voyez colorés. Et vous ne vous voyez pas rentrant dans quelques jours au palais de Ménélas?

HÉLÈNE

Non. Difficilement.

HECTOR

On peut habiller votre mari très brillant pour ce retour.

HÉLÈNE

Toute la pourpre de toutes les coquilles ne me le rendrait pas visible.

HECTOR

Voici ta concurrente, Cassandre. Celle-là aussi lit l'avenir.

HÉLÈNE

Je ne lis pas l'avenir. Mais, dans cet avenir, je vois des scènes colorées, d'autres ternes. Jusqu'ici ce sont toujours les scènes colorées qui ont eu lieu.

HECTOR

Nous allons vous remettre aux Grecs en plein midi, sur le sable aveuglant, entre la mer violette et le mur ocre. Nous serons tous en cuirasse d'or à jupe rouge, et entre mon étalon blanc et la jument noire de Priam, mes sœurs en péplum vert vous remettront nue à l'ambassadeur grec, dont je devine, au-dessus du casque d'argent, le plumet amarante. Vous voyez cela, je pense?

HÉLÈNE

Non, du tout. C'est tout sombre.

HECTOR

Vous vous moquez de moi, n'est-ce pas?

HÉLÈNE

Me moquer, pourquoi? Allons! Partons, si vous voulez! Allons nous préparer pour ma remise aux Grecs. Nous verrons bien.

HECTOR

Vous doutez-vous que vous insultez l'humanité, ou est-ce inconscient?

HÉLÈNE

J'insulte quoi?

HECTOR

Vous doutez-vous que votre album de chromos est la dérision du monde? Alors que tous ici nous nous battons, nous nous sacrifions pour fabriquer

une heure qui soit à nous, vous êtes là à feuilleter
vos gravures prêtes de toute éternité!... Qu'avez-
vous? A laquelle vous arrêtez-vous avec ces yeux
aveugles? A celle sans doute où vous êtes sur ce
même rempart, contemplant la bataille? Vous la
voyez, la bataille?

HÉLÈNE

Oui.

HECTOR

Et la ville s'effondre ou brûle, n'est-ce pas?

HÉLÈNE

Oui. C'est rouge vif.

HECTOR

Et Pâris? Vous voyez le cadavre de Pâris traîné
derrière un char?

HÉLÈNE

Ah! vous croyez que c'est Pâris? Je vois en effet
un morceau d'aurore qui roule dans la poussière.
Un diamant à sa main étincelle... Mais oui!... Je
reconnais souvent mal les visages, mais toujours
les bijoux. C'est bien sa bague.

HECTOR

Parfait... Je n'ose vous questionner sur Andromaque et sur moi... sur le groupe Andromaque-
Hector... Vous le voyez! Ne niez pas. Comment le
voyez-vous? Heureux, vieilli, luisant?

HÉLÈNE

Je n'essaie pas de le voir.

HECTOR

Et le groupe Andromaque pleurant sur le corps d'Hector, il luit?

HÉLÈNE

Vous savez, je peux très bien voir luisant, extraordinairement luisant, et qu'il n'arrive rien. Personne n'est infaillible.

HECTOR

N'insistez pas. Je comprends... Il y a un fils entre la mère qui pleure et le père étendu?

HÉLÈNE

Oui... Il joue avec les cheveux emmêlés du père... Il est charmant.

HECTOR

Et elles sont au fond de vos yeux ces scènes? On peut les y voir?

HÉLÈNE

Je ne sais pas. Regardez.

HECTOR

Plus rien! Plus rien que la cendre de tous ces incendies, l'émeraude et l'or en poudre! Qu'elle est pure, la lentille du monde! Ce ne sont pourtant pas les pleurs qui doivent la laver... Tu pleurerais, si on allait te tuer, Hélène?

HÉLÈNE

Je ne sais pas. Mais je crierais. Et je sens que je vais crier, si vous continuez ainsi, Hector... Je vais crier.

HECTOR

Tu repartiras ce soir pour la Grèce, Hélène, ou je te tue.

HÉLÈNE

Mais je veux bien partir! Je suis prête à partir. Je vous répète seulement que je ne peux arriver à rien distinguer du navire qui m'emportera. Je ne vois scintiller ni la ferrure du mât de misaine, ni l'anneau du nez du capitaine, ni le blanc de l'œil du mousse.

HECTOR

Tu rentreras sur une mer grise, sous un soleil gris. Mais il nous faut la paix.

HÉLÈNE

Je ne vois pas la paix.

HECTOR

Demande à Cassandre de te la montrer. Elle est sorcière. Elle évoque formes et génies.

UN MESSAGER

Hector, Priam te réclame! Les prêtres s'opposent à ce que l'on ferme les portes de la guerre! Ils disent que les dieux y verraient une insulte.

HECTOR

C'est curieux comme les dieux s'abstiennent de parler eux-mêmes dans les cas difficiles.

LE MESSAGER

Ils ont parlé eux-mêmes. La foudre est tombée sur le temple, et les entrailles des victimes sont contre le renvoi d'Hélène.

HECTOR

Je donnerais beaucoup pour consulter aussi les entrailles des prêtres... Je te suis.

Le guerrier sort.

HECTOR

Ainsi, vous êtes d'accord, Hélène?

HÉLÈNE

Oui.

HECTOR

Vous direz désormais ce que je vous dirai de dire? Vous ferez ce que je vous dirai de faire?

HÉLÈNE

Oui.

HECTOR

Devant Ulysse, vous ne me contredirez pas, vous abonderez dans mon sens?

HÉLÈNE

Oui.

HECTOR

Ecoute-la, Cassandre. Ecoute ce bloc de négation qui dit oui! Tous m'ont cédé. Pâris m'a cédé, Priam m'a cédé, Hélène me cède. Et je sens qu'au contraire dans chacune de ces victoires apparentes, j'ai perdu. On croit lutter contre des géants, on va les vaincre, et il se trouve qu'on lutte contre quelque chose d'inflexible qui est un reflet sur la rétine d'une femme. Tu as beau me dire oui, Hélène, tu es comble d'une obstination qui me nargue!

HÉLÈNE

C'est possible. Mais je n'y peux rien. Ce n'est pas la mienne.

HECTOR

Par quelle divagation le monde a-t-il été placer son miroir dans cette tête obtuse!

HÉLÈNE

C'est regrettable, évidemment. Mais vous voyez un moyen de vaincre l'obstination des miroirs?

HECTOR

Oui. C'est à cela que je songe depuis un moment.

HÉLÈNE

Si on les brise, ce qu'ils reflétaient n'en demeure peut-être pas moins?

HECTOR

C'est là toute la question.

AUTRE MESSAGER

Hector, hâte-toi. La plage est en révolte. Les navires des Grecs sont en vue, et ils ont hissé leur pavillon non au ramat mais à l'écoutière. L'honneur de notre marine est en jeu. Priam craint que l'envoyé ne soit massacré à son débarquement.

HECTOR

Je te confie Hélène, Cassandre. J'enverrai mes ordres.

SCÈNE DIXIÈME

HÉLÈNE, CASSANDRE

CASSANDRE

Moi je ne vois rien, coloré ou terne. Mais chaque être pèse sur moi par son approche même. A l'angoisse de mes veines, je sens son destin.

HÉLÈNE

Moi, dans mes scènes colorées, je vois quelquefois un détail plus étincelant encore que les autres. Je ne l'ai pas dit à Hector. Mais le cou de son fils est illuminé, la place du cou où bat l'artère...

CASSANDRE

Moi, je suis comme un aveugle qui va à tâtons. Mais c'est au milieu de la vérité que je suis aveugle. Eux tous voient, et ils voient le mensonge. Je tâte la vérité.

HÉLÈNE

Notre avantage, c'est que nos visions se confondent avec nos souvenirs, l'avenir avec le passé! On devient moins sensible... C'est vrai que

vous êtes sorcière, que vous pouvez évoquer la
paix?

CASSANDRE

La paix? Très facile. Elle écoute en mendiante
derrière chaque porte... La voilà.

La paix apparaît.

HÉLÈNE

Comme elle est jolie!

LA PAIX

Au secours, Hélène, aide-moi!

HÉLÈNE

Mais comme elle est pâle.

LA PAIX

Je suis pâle? Comment, pâle! Tu ne vois pas cet
or dans mes cheveux?

HÉLÈNE

Tiens, de l'or gris? C'est une nouveauté...

LA PAIX

De l'or gris! Mon or est gris?

La paix disparaît.

HÉLÈNE

Elle a disparu?

CASSANDRE

Je pense qu'elle se met un peu de rouge.

La paix reparaît, outrageusement fardée.

LA PAIX

Et comme cela?

HÉLÈNE

Je la vois de moins en moins.

LA PAIX

Et comme cela?

CASSANDRE

Hélène ne te voit pas davantage.

LA PAIX

Tu me vois, toi, puisque tu me parles!

CASSANDRE

C'est ma spécialité de parler à l'invisible.

LA PAIX

Que se passe-t-il donc? Pourquoi les hommes dans la ville et sur la plage poussent-ils ces cris?

CASSANDRE

Il paraît que leurs dieux entrent dans le jeu et aussi leur honneur.

LA PAIX

Leurs dieux! Leur honneur!

CASSANDRE

Oui... Tu es malade!

LE RIDEAU TOMBE

ACTE DEUXIÈME

Square clos de palais. A chaque angle, échappée
sur la mer. Au centre un monument, les portes
de la guerre. Elles sont grandes ouvertes.

SCÈNE PREMIÈRE

HÉLÈNE, LE JEUNE TROÏLUS

HÉLÈNE

Hé! là-bas! Oui, c'est toi que j'appelle!...
Approche!

TROÏLUS

Non.

HÉLÈNE

Comment t'appelles-tu?

TROÏLUS

Troïlus.

HÉLÈNE

Viens ici!

TROÏLUS

Non.

HÉLÈNE

Viens ici, Troïlus!... (*Troïlus approche.*) Ah! te
voilà! Tu obéis quand on t'appelle par ton nom :
tu es encore très lévrier. C'est d'ailleurs gentil.
Tu sais que tu m'obliges pour la première fois à

crier, en parlant à un homme? Ils sont toujours
tellement collés à moi que je n'ai qu'à bouger les
lèvres. J'ai crié à des mouettes, à des biches, à
l'écho, jamais à un homme. Tu me paieras cela...
Qu'as-tu? Tu trembles?

TROÏLUS

Je ne tremble pas.

HÉLÈNE

Tu trembles, Troïlus.

TROÏLUS

Oui, je tremble.

HÉLÈNE

Pourquoi es-tu toujours derrière moi? Quand je
vais dos au soleil et que je m'arrête, la tête de
ton ombre bute toujours contre mes pieds. C'est
tout juste si elle ne les dépasse pas. Dis-moi ce que
tu veux...

TROÏLUS

Je ne veux rien.

HÉLÈNE

Dis-moi ce que tu veux. Troïlus!

TROÏLUS

Tout! Je veux tout!

HÉLÈNE

Tu veux tout. La lune?

TROÏLUS

Tout! Plus que tout!

HÉLÈNE

Tu parles déjà comme un vrai homme : tu veux m'embrasser, quoi!

TROÏLUS

Non!

HÉLÈNE

Tu veux m'embrasser, n'est-ce pas, mon petit Troïlus?

TROÏLUS

Je me tuerais aussitôt après!

HÉLÈNE

Approche... Quel âge as-tu?

TROÏLUS

Quinze ans... Hélas!

HÉLÈNE

Bravo pour « hélas! »... Tu as déjà embrassé des jeunes filles?

TROÏLUS

Je les hais.

HÉLÈNE

Tu en as déjà embrassé?

TROÏLUS

On les embrasse toutes. Je donnerais ma vie pour n'en avoir embrassé aucune.

HÉLÈNE

Tu me sembles disposer d'un nombre considérable d'existences. Pourquoi ne m'as-tu pas dit franchement « Hélène, je peux vous embrasser... »? Je ne vois aucun mal à ce que tu m'embrasses... Embrasse-moi.

TROÏLUS

Jamais.

HÉLÈNE

A la fin du jour, quand je m'assieds aux créneaux pour voir le couchant sur les îles, tu serais arrivé doucement, tu aurais tourné ma tête vers toi avec tes mains — de dorée, elle serait devenue sombre, tu l'aurais moins bien vue évidemment —, et tu m'aurais embrassée, j'aurais été très contente... « Tiens, me serais-je dit, le petit Troïlus m'embrasse!... » Embrasse-moi.

TROÏLUS

Jamais.

HÉLÈNE

Je vois. Tu me haïrais si tu m'avais embrassée?

TROÏLUS

Ah! Les hommes ont bien de la chance d'arriver à dire ce qu'ils veulent dire!

HÉLÈNE

Toi, tu le dis assez bien.

HÉLÈNE, PÂRIS, LE JEUNE TROÏLUS

PÂRIS

Méfie-toi, Hélène. Troïlus est un dangereux personnage.

HÉLÈNE

Au contraire. Il veut m'embrasser.

PÂRIS

Troïlus, tu sais que si tu embrasses Hélène, je te tue!

HÉLÈNE

Cela lui est égal de mourir, même plusieurs fois.

PÂRIS

Qu'est-ce qu'il a? Il prend son élan?... Il va bondir sur toi?... Il est trop gentil! Embrasse Hélène, Troïlus. Je te le permets.

HÉLÈNE

Si tu l'y décides, tu es plus malin que moi.

Troïlus qui allait se précipiter sur Hélène s'écarte aussitôt.

PÂRIS

Ecoute, Troïlus! Voici nos vénérables qui arrivent en corps pour fermer les portes de la guerre... Embrasse Hélène devant eux : tu seras célèbre. Tu veux être célèbre, plus tard, dans la vie?

TROÏLUS

Non. Inconnu.

PÂRIS

Tu ne veux pas devenir célèbre? Tu ne veux pas être riche, puissant?

TROÏLUS

Non. Pauvre. Laid.

PÂRIS

Laisse-moi finir!... Pour avoir toutes les femmes!

TROÏLUS

Je n'en veux aucune, aucune!

PÂRIS

Voilà nos sénateurs! Tu as à choisir : ou tu embrasseras Hélène devant eux, ou c'est moi qui l'embrasse devant toi. Tu préfères que ce soit moi? Très bien! Regarde!... Oh! Quel est ce baiser inédit que tu me donnes, Hélène!

HÉLÈNE

Le baiser destiné à Troïlus.

PÂRIS

Tu ne sais pas ce que tu perds, mon enfant!
Oh! tu t'en vas? Bonsoir!

HÉLÈNE

Nous nous embrasserons, Troïlus. Je t'en
réponds. (*Troïlus s'en va.*) Troïlus!

PÂRIS, un peu énervé.

Tu cries bien fort, Hélène!

Scène Troisième

HÉLÈNE, DEMOKOS, PÂRIS

DEMOKOS

Hélène, une minute! Et regarde-moi bien en face. J'ai dans la main un magnifique oiseau que je vais lâcher... Là, tu y es?... C'est cela... Arrange tes cheveux et souris un beau sourire.

PÂRIS

Je ne vois pas en quoi l'oiseau s'envolera mieux si les cheveux d'Hélène bouffent et si elle fait son beau sourire.

HÉLÈNE

Cela ne peut pas me nuire en tout cas.

DEMOKOS

Ne bouge plus... Une! Deux! Trois! Voilà... c'est fait, tu peux partir...

HÉLÈNE

Et l'oiseau?

DEMOKOS

C'est un oiseau qui sait se rendre invisible.

HÉLÈNE

La prochaine fois demande-lui sa recette.

Elle sort.

PÂRIS

Quelle est cette farce?

DEMOKOS

Je compose un chant sur le visage d'Hélène. J'avais besoin de bien le contempler, de le graver dans ma mémoire avec sourire et boucles. Il y est.

Scène Quatrième

DEMOKOS, PÂRIS, HÉCUBE, LA PETITE POLYXÈNE,
ABNÉOS, LE GÉOMÈTRE, QUELQUES VIEILLARDS

HÉCUBE

Enfin, vous allez nous la fermer, cette porte?

DEMOKOS

Certainement non. Nous pouvons avoir à la
rouvrir ce soir même.

HÉCUBE

Hector le veut. Il décidera Priam.

DEMOKOS

C'est ce que nous verrons. Je lui réserve d'ailleurs une surprise, à Hector!

LA PETITE POLYXÈNE

Où mène-t-elle, la porte, maman?

ABNÉOS

A la guerre, mon enfant. Quand elle est ouverte,
c'est qu'il y a la guerre.

DEMOKOS

Mes amis...

HÉCUBE

Guerre ou non, votre symbole est stupide. Cela fait tellement peu soigné, ces deux battants toujours ouverts! Tous les chiens s'y arrêtent.

LE GÉOMÈTRE

Il ne s'agit pas de ménage. Il s'agit de la guerre et des dieux.

HÉCUBE

C'est bien ce que je dis, les dieux ne savent pas fermer leurs portes.

LA PETITE POLYXÈNE

Moi je les ferme très bien, n'est-ce pas, maman!

PÂRIS, baisant les doigts de la petite Polyxène.

Tu te prends même les doigts en les fermant, chérie.

DEMOKOS

Puis-je enfin réclamer un peu de silence, Pâris?... Abnéos, et toi, Géomètre, et vous, mes amis, si je vous ai convoqués ici avant l'heure, c'est pour tenir notre premier conseil. Et c'est de bon augure que ce premier conseil de guerre ne soit pas celui des généraux, mais celui des intellectuels. Car il ne suffit pas, à la guerre, de fournir des armes à nos soldats. Il est indispensable de porter au comble leur enthousiasme. L'ivresse physique, que leurs chefs obtiendront à l'instant de l'assaut par un vin à la résine vigoureusement placé, restera vis-à-vis des Grecs inefficiente, si elle ne se double de l'ivresse morale que nous, les

poètes, allons leur verser. Puisque l'âge nous
éloigne du combat, servons du moins à le rendre
sans merci. Je vois que tu as des idées là-dessus,
Abnéos, et je te donne la parole.

ABNÉOS

Oui. Il nous faut un chant de guerre.

DEMOKOS

Très juste. La guerre exige un chant de guerre.

PÂRIS

Nous nous en sommes passés jusqu'ici.

HÉCUBE

Elle chante assez fort elle-même...

ABNÉOS

Nous nous en sommes passés, parce que nous
n'avons jamais combattu que des barbares. C'était
de la chasse. Le cor suffisait. Avec les Grecs, nous
entrons dans un domaine de guerre autrement
relevé.

DEMOKOS

Très exact, Abnéos. Ils ne se battent pas avec
tout le monde.

PÂRIS

Nous avons déjà un chant national.

ABNÉOS

Oui. Mais c'est un chant de paix.

PÂRIS

Il suffit de chanter un chant de paix avec grimace et gesticulation pour qu'il devienne un chant de guerre... Quelles sont déjà les paroles du nôtre?

ABNÉOS

Tu le sais bien. Anodines. — C'est nous qui fauchons les moissons, qui pressons le sang de la vigne!

DEMOKOS

C'est tout au plus un chant de guerre contre les céréales. Vous n'effraierez pas les Spartiates en menaçant le blé noir.

PÂRIS

Chante-le avec un javelot à la main et un mort à tes pieds, et tu verras.

HÉCUBE

Il y a le mot sang, c'est toujours cela.

PÂRIS

Le mot moisson aussi. La guerre l'aime assez.

ABNÉOS

Pourquoi discuter, puisque Demokos peut nous en livrer un tout neuf dans les deux heures?

DEMOKOS

Deux heures, c'est un peu court.

HÉCUBE

N'aie aucune crainte, c'est plus qu'il ne te faut!

Et après le chant ce sera l'hymne, et après l'hymne
la cantate. Dès que la guerre est déclarée, impossible de tenir les poètes. La rime, c'est encore le
meilleur tambour.

DEMOKOS

Et le plus utile, Hécube; tu ne crois pas si bien
dire. Je la connais, la guerre. Tant qu'elle n'est
pas là, tant que ses portes sont fermées, libre à
chacun de l'insulter et de la honnir. Elle dédaigne
les affronts du temps de paix. Mais, dès qu'elle
est présente, son orgueil est à vif, on ne gagne pas
sa faveur, on ne la gagne que si on la compli-
mente et la caresse. C'est alors la mission de ceux
qui savent parler et écrire, de louer la guerre, de
l'aduler à chaque heure du jour, de la flatter sans
arrêt aux places claires ou équivoques de son
énorme corps, sinon on se l'aliène. Voyez les offi-
ciers : Braves devant l'ennemi, lâches devant la
guerre, c'est la devise des vrais généraux.

PÂRIS

Et tu as même déjà une idée pour ton chant?

DEMOKOS

Une idée merveilleuse, que tu comprendras
mieux que personne... Elle doit être lasse qu'on
l'affuble de cheveux de Méduse, de lèvres de Gor-
gone : j'ai l'idée de comparer son visage au visage
d'Hélène. Elle sera ravie de cette ressemblance.

LA PETITE POLYXÈNE

A quoi ressemble-t-elle, la guerre, maman?

HÉCUBE

A ta tante Hélène.

LA PETITE POLYXÈNE

Elle est bien jolie.

DEMOKOS

Donc, la discussion est close. Entendu pour le chant de guerre. Pourquoi t'agiter, Géomètre?

LE GÉOMÈTRE

Parce qu'il y a plus pressé que le chant de guerre, beaucoup plus pressé!

DEMOKOS

Tu veux dire les médailles, les fausses nouvelles?

LE GÉOMÈTRE

Je veux dire les épithètes.

HÉCUBE

Les épithètes?

LE GÉOMÈTRE

Avant de se lancer leurs javelots, les guerriers grecs se lancent des épithètes... Cousin de crapaud! se crient-ils, Fils de bœuf!... Ils s'insultent, quoi! Et ils ont raison. Ils savent que le corps est plus vulnérable quand l'amour-propre est à vif. Des guerriers connus pour leur sang-froid le perdent illico quand on les traite de verrues ou de corps thyroïdes. Nous autres Troyens manquons terriblement d'épithètes.

DEMOKOS

Le Géomètre a raison. Nous sommes vraiment les seuls à ne pas insulter nos adversaires avant de les tuer.

PÂRIS

Tu ne crois pas suffisant que les civils s'insultent, Géomètre?

LE GÉOMÈTRE

Les armées doivent partager les haines des civils. Tu les connais : sur ce point elles sont décevantes. Quand on les laisse à elles-mêmes, elles passent leur temps à s'estimer. Leurs lignes déployées deviennent bientôt les seules lignes de vraie fraternité dans le monde, et du fond du champ de bataille, où règne une considération mutuelle, la haine est refoulée sur les écoles, les salons ou le petit commerce. Si nos soldats ne sont pas au moins à égalité dans le combat d'épithètes, ils perdront tout goût à l'insulte, à la calomnie, et par suite immanquablement à la guerre.

DEMOKOS

Adopté! Nous leur organiserons un concours dès ce soir.

PÂRIS

Je les crois assez grands pour les trouver eux-mêmes.

DEMOKOS

Quelle erreur! Tu les trouverais de toi-même, tes épithètes, toi qui passes pour habile?

PÂRIS

J'en suis persuadé.

DEMOKOS

Tu te fais des illusions. Mets-toi en face d'Abnéos, et commence.

PÂRIS

Pourquoi d'Abnéos?

DEMOKOS

Parce qu'il prête aux épithètes, ventru et bancal comme il est.

ABNÉOS

Dis donc, moule à tarte!

PÂRIS

Non. Abnéos ne m'inspire pas. Mais en face de toi, si tu veux.

DEMOKOS

De moi? Parfait! Tu vas voir ce que c'est, l'épithète improvisée! Compte dix pas... J'y suis... Commence...

HÉCUBE

Regarde-le bien. Tu seras inspiré.

PÂRIS

Vieux parasite! Poète aux pieds sales!

DEMOKOS

Une seconde... Si tu faisais précéder les épithètes du nom, pour éviter les méprises...

PÂRIS

En effet, tu as raison... Demokos! Œil de veau!
Arbre à pellicules!

DEMOKOS

C'est grammaticalement correct, mais bien naïf.
En quoi le fait d'être appelé arbre à pellicules
peut-il me faire monter l'écume aux lèvres et me
pousser à tuer! Arbre à pellicules est complètement
inopérant.

HÉCUBE

Il t'appelle aussi Œil de veau.

DEMOKOS

Œil de veau est un peu mieux... Mais tu vois
comme tu patauges, Pâris? Cherche donc ce qui
peut m'atteindre. Quels sont mes défauts, à ton
avis?

PÂRIS

Tu es lâche, ton haleine est fétide, et tu n'as
aucun talent.

DEMOKOS

Tu veux une gifle?

PÂRIS

Ce que j'en dis, c'est pour te faire plaisir.

LA PETITE POLYXÈNE

Pourquoi gronde-t-on l'oncle Demokos, maman?

HÉCUBE

Parce que c'est un serin, chérie!

DEMOKOS

Vous dites, Hécube?

HÉCUBE

Je dis que tu es un serin, Demokos. Je dis que si les serins avaient la bêtise, la prétention, la laideur et la puanteur des vautours, tu serais un serin.

DEMOKOS

Tiens, Pâris! Ta mère est plus forte que toi. Prends modèle. Une heure d'exercice par jour et par soldat, et Hécube nous donne la supériorité en épithètes. Et pour le chant de la guerre, je ne sais pas non plus s'il n'y aurait pas avantage à le lui confier....

HÉCUBE

Si tu veux. Mais je ne dirais pas qu'elle ressemble à Hélène.

DEMOKOS

Elle ressemble à qui, d'après toi?

HÉCUBE

Je te le dirai quand la porte sera fermée.

LES MÊMES, PRIAM, HECTOR,
puis ANDROMAQUE, puis HÉLÈNE

Pendant la fermeture des portes, Andromaque prend
à part la petite Polyxène, et lui confie une
commission ou un secret.

HECTOR

Elle va l'être.

DEMOKOS

Un moment, Hector!

HECTOR

La cérémonie n'est pas prête?

HÉCUBE

Si. Les gonds nagent dans l'huile d'olive.

HECTOR

Alors?

PRIAM

Ce que nos amis veulent dire, Hector, c'est que
la guerre aussi est prête. Réfléchis bien. Ils n'ont

pas tort. Si tu fermes cette porte, il va peut-être
falloir la rouvrir dans une minute.

HÉCUBE

Une minute de paix, c'est bon à prendre.

HECTOR

Mon père, tu dois pourtant savoir ce que signifie
la paix pour des hommes qui depuis des mois se
battent. C'est toucher enfin le fond pour ceux qui
se noient ou s'enlisent. Laisse-nous prendre pied
sur le moindre carré de paix, effleurer la paix une
minute, fût-ce de l'orteil!

PRIAM

Hector, songe que jeter aujourd'hui le mot paix
dans la ville est aussi coupable que d'y jeter un
poison. Tu vas y détendre le cuir et le fer. Tu vas
frapper avec le mot paix la monnaie courante des
souvenirs, des affections, des espoirs. Les soldats
vont se précipiter pour acheter le pain de paix,
boire le vin de paix, étreindre la femme de paix,
et dans une heure tu les remettras face à la guerre.

HECTOR

La guerre n'aura pas lieu!

On entend des clameurs du côté du port.

DEMOKOS

Non? Ecoute!

HECTOR

Fermons les portes. C'est ici que nous recevrons
tout à l'heure les Grecs. La conversation sera déjà

assez rude. Il convient de les recevoir dans la paix.

PRIAM

Mon fils, savons-nous même si nous devons permettre aux Grecs de débarquer?

HECTOR

Ils débarqueront. L'entrevue avec Ulysse est notre dernière chance de paix.

DEMOKOS

Ils ne débarqueront pas. Notre honneur est en jeu. Nous serions la risée du monde...

HECTOR

Et tu prends sur toi de conseiller au Sénat une mesure qui signifie la guerre?

DEMOKOS

Sur moi? Tu tombes mal. Avance, Busiris. Ta mission commence.

HECTOR

Quel est cet étranger?

DEMOKOS

Cet étranger est le plus grand expert vivant du droit des peuples. Notre chance veut qu'il soit aujourd'hui de passage dans Troie. Tu ne diras pas que c'est un témoin partial. C'est un neutre. Notre Sénat se range à son avis, qui sera demain celui de toutes les nations.

HECTOR

Et quel est ton avis?

BUSIRIS

Mon avis, princes, après constat de visu et enquête subséquente, est que les Grecs se sont rendus
vis-à-vis de Troie coupables de trois manquements
aux règles internationales. Leur permettre de débarquer serait vous retirer cette qualité d'offensés
qui vous vaudra, dans le conflit, la sympathie universelle.

HECTOR

Explique-toi.

BUSIRIS

Premièrement ils ont hissé leur pavillon au
ramat et non à l'écoutière. Un navire de guerre,
princes et chers collègues, hisse sa flamme au ramat
dans le seul cas de réponse au salut d'un bateau
chargé de bœufs. Devant une ville et sa population,
c'est donc le type même de l'insulte. Nous avons
d'ailleurs un précédent. Les Grecs ont hissé l'année
dernière leur pavillon au ramat en entrant dans
le port d'Ophéa. La riposte a été cinglante. Ophéa
a déclaré la guerre.

HECTOR

Et qu'est-il arrivé?

BUSIRIS

Ophéa a été vaincue. Il n'y a plus d'Ophéa, ni
d'Ophéens.

HÉCUBE

Parfait.

BUSIRIS

L'anéantissement d'une nation ne modifie en rien l'avantage de sa position morale internationale.

HECTOR

Continue.

BUSIRIS

Deuxièmement, la flotte grecque en pénétrant dans vos eaux territoriales a adopté la formation dite de face. Il avait été question, au dernier congrès, d'inscrire cette formation dans le paragraphe des mesures dites défensives-offensives. J'ai été assez heureux pour obtenir qu'on lui restituât sa vraie qualité de mesure offensive-défensive : elle est donc bel et bien une des formes larvées du front de mer qui est lui-même une forme larvée du blocus, c'est-à-dire qu'elle constitue un manquement au premier degré! Nous avons aussi un précédent. Les navires grecs, il y a cinq ans, ont adopté la formation de face en ancrant devant Magnésie. Magnésie dans l'heure a déclaré la guerre.

HECTOR

Elle l'a gagnée?

BUSIRIS

Elle l'a perdue. Il ne subsiste plus une pierre de ses murs. Mais mon paragraphe subsiste.

HÉCUBE

Je t'en félicite. Nous avions eu peur.

HECTOR

Achève.

BUSIRIS

Le troisième manquement est moins grave. Une des trirèmes grecques a accosté sans permission et par traîtrise. Son chef Oiax, le plus brutal et le plus mauvais coucheur des Grecs, monte vers la ville en semant le scandale et la provocation, et criant qu'il veut tuer Pâris. Mais, au point de vue international, ce manquement est négligeable. C'est un manquement qui n'a pas été fait dans les formes.

DEMOKOS

Te voilà renseigné. La situation a deux issues. Encaisser un outrage ou le rendre. Choisis.

HECTOR

Oneah, cours au-devant d'Oiax! Arrange-toi pour le rabattre ici.

PÂRIS

Je l'y attends.

HECTOR

Tu me feras le plaisir de rester au palais jusqu'à ce que je t'appelle. Quant à toi, Busiris, apprends que notre ville n'entend d'aucune façon avoir été insultée par les Grecs.

BUSIRIS

Je n'en suis pas surpris. Sa fierté d'hermine est légendaire.

HECTOR

Tu vas donc, et sur-le-champ, me trouver une thèse qui permette à notre Sénat de dire qu'il n'y a pas eu manquement de la part de nos visiteurs, et à nous, hermines immaculées, de les recevoir en hôtes.

DEMOKOS

Quelle est cette plaisanterie?

BUSIRIS

C'est contre les faits, Hector.

HECTOR

Mon cher Busiris, nous savons tous ici que le droit est la plus puissante des écoles de l'imagination. Jamais poète n'a interprété la nature aussi librement qu'un juriste la réalité.

BUSIRIS

Le Sénat m'a demandé une consultation, je la donne.

HECTOR

Je te demande, moi, une interprétation. C'est plus juridique encore.

BUSIRIS

C'est contre ma conscience.

HECTOR

Ta conscience a vu périr Ophéa, périr Magnésie, et elle envisage d'un cœur léger la perte de Troie?

HÉCUBE

Oui. Il est de Syracuse.

HECTOR

Je t'en supplie, Busiris. Il y va de la vie de deux peuples. Aide-nous.

BUSIRIS

Je ne peux vous donner qu'une aide, la vérité.

HECTOR

Justement. Trouve une vérité qui nous sauve. Si le droit n'est pas l'armurier des innocents, à quoi sert-il? Forge-nous une vérité. D'ailleurs, c'est très simple, si tu ne la trouves pas, nous te gardons ici tant que durera la guerre.

BUSIRIS

Que dites-vous?

DEMOKOS

Tu abuses de ton rang, Hector!

HÉCUBE

On emprisonne le droit pendant la guerre. On peut bien emprisonner un juriste.

HECTOR

Tiens-le-toi pour dit, Busiris. Je n'ai jamais man-

qué ni à mes menaces ni à mes promesses. Ou ces
gardes te mènent en prison pour des années, ou
tu pars ce soir même couvert d'or. Ainsi renseigné,
soumets de nouveau la question à ton examen le
plus impartial.

BUSIRIS

Evidemment, il y a des recours.

HECTOR

J'en étais sûr.

BUSIRIS

Pour le premier manquement, par exemple, ne
peut-on interpréter dans certaines mers bordées de
régions fertiles le salut au bateau chargé de bœufs
comme un hommage de la marine à l'agriculture?

HECTOR

En effet, c'est logique. Ce serait en somme le
salut de la mer à la terre.

BUSIRIS

Sans compter qu'une cargaison de bétail peut
être une cargaison de taureaux. L'hommage en ce
cas touche à la flatterie.

HECTOR

Voilà. Tu m'as compris. Nous y sommes.

BUSIRIS

Quant à la formation de face, il est tout aussi
naturel de l'interpréter comme une avance que

comme une provocation. Les femmes qui veulent avoir des enfants se présentent de face, et non de flanc.

HECTOR

Argument décisif.

BUSIRIS

D'autant que les Grecs ont à leur proue des nymphes sculptées gigantesques. Il est permis de dire que le fait de présenter aux Troyens, non plus le navire en tant qu'unité navale, mais la nymphe en tant que symbole fécondant, est juste le contraire d'une insulte. Une femme qui vient vers vous nue et les bras ouverts n'est pas une menace, mais une offre. Une offre à causer en tout cas...

HECTOR

Et voilà notre honneur sauf, Demokos. Que l'on publie dans la ville la consultation de Busiris, et toi, Minos, cours donner l'ordre au capitaine du port de faire immédiatement débarquer Ulysse.

DEMOKOS

Cela devient impossible de discuter l'honneur avec ses anciens combattants. Ils abusent vraiment du fait qu'on ne peut les traiter de lâches.

LE GÉOMÈTRE

Prononce en tout cas le discours aux morts, Hector. Cela te fera réfléchir...

HECTOR

Il n'y aura pas de discours aux morts.

PRIAM

La cérémonie le comporte. Le général victorieux doit rendre hommage aux morts quand les portes se ferment.

HECTOR

Un discours aux morts de la guerre, c'est un plaidoyer hypocrite pour les vivants, une demande d'acquittement. C'est la spécialité des avocats. Je ne suis pas assez sûr de mon innocence...

DEMOKOS

Le commandement est irresponsable.

HECTOR

Hélas! tout le monde l'est, les dieux aussi! D'ailleurs je l'ai fait déjà, mon discours aux morts. Je le leur ai fait à leur dernière minute de vie, alors qu'adossés un peu de biais aux oliviers du champ de bataille, ils disposaient d'un reste d'ouïe et de regard. Et je peux vous répéter ce que je leur ai dit. Et à l'éventré, dont les prunelles tournaient déjà, j'ai dit : « Eh bien, mon vieux, ça ne va pas si mal que ça... » Et à celui dont la massue avait ouvert en deux le crâne : « Ce que tu peux être laid avec ce nez fendu! » Et à mon petit écuyer, dont le bras gauche pendait et dont fuyait le dernier sang : « Tu as de la chance de t'en tirer avec le bras gauche... » Et je suis heureux de leur avoir fait boire à chacun une suprême goutte à la gourde de la vie. C'était tout ce qu'ils réclamaient, ils sont morts en la suçant... Et je n'ajouterai pas un mot. Fermez les portes.

LA PETITE POLYXÈNE
Il est mort aussi, le petit écuyer?

HECTOR
Oui, mon chat. Il est mort. Il a soulevé la main droite. Quelqu'un que je ne voyais pas le prenait par sa main valide. Et il est mort.

DEMOKOS
Notre général semble confondre paroles aux mourants et discours aux morts.

PRIAM
Ne t'obstine pas, Hector.

HECTOR
Très bien, très bien, je leur parle...

Il se place au pied des portes.

HECTOR
O vous qui ne nous entendez pas, qui ne nous voyez pas, écoutez ces paroles, voyez ce cortège. Nous sommes les vainqueurs. Cela vous est bien égal, n'est-ce pas? Vous aussi vous l'êtes. Mais, nous, nous sommes les vainqueurs vivants. C'est ici que commence la différence. C'est ici que j'ai honte. Je ne sais si dans la foule des morts on distingue les morts vainqueurs par une cocarde. Les vivants, vainqueurs ou non, ont la vraie cocarde, la double cocarde. Ce sont leurs yeux. Nous, nous avons deux yeux, mes pauvres amis. Nous voyons le soleil. Nous faisons tout ce qui se fait dans le soleil. Nous mangeons. Nous buvons... Et

dans le clair de lune!... Nous couchons avec nos femmes.. Avec les vôtres aussi...

DEMOKOS

Tu insultes les morts, maintenant?

HECTOR

Vraiment, tu crois?

DEMOKOS

Ou les morts, ou les vivants.

HECTOR

Il y a une distinction...

PRIAM

Achève, Hector... Les Grecs débarquent...

HECTOR

J'achève... O vous qui ne sentez pas, qui ne touchez pas, respirez cet encens, touchez ces offrandes. Puisque enfin c'est un général sincère qui vous parle, apprenez que je n'ai pas une tendresse égale, un respect égal pour vous tous. Tout morts que vous êtes, il y a chez vous la même proportion de braves et de peureux que chez nous qui avons survécu et vous ne me ferez pas confondre, à la faveur d'une cérémonie, les morts que j'admire avec les morts que je n'admire pas. Mais ce que j'ai à vous dire aujourd'hui, c'est que la guerre me semble la recette la plus sordide et la plus hypocrite pour égaliser les humains et que je n'admets pas plus la mort comme châtiment ou comme expiation au lâche que comme récompense aux vivants. Aussi qui que vous soyez, vous absents, vous inexistants, vous oubliés, vous sans occupation, sans repos, sans être, je comprends en effet qu'il faille en fermant ces portes excuser près de vous ces déserteurs que sont les survivants, et ressentir comme un privilège et un vol ces deux biens qui s'appellent, de deux noms dont j'espère que la résonance ne vous atteint jamais, la chaleur et le ciel.

LA PETITE POLYXÈNE

Les portes se ferment, maman!

HÉCUBE

Oui, chérie.

LA PETITE POLYXÈNE

Ce sont les morts qui les poussent.

HÉCUBE

Ils aident, un petit peu.

LA PETITE POLYXÈNE

Ils aident bien, surtout à droite.

HECTOR

C'est fait? Elles sont fermées?

LE GARDE

Un coffre-fort...

HECTOR

Nous sommes en paix, père, nous sommes en paix.

HÉCUBE

Nous sommes en paix!

LA PETITE POLYXÈNE

On se sent bien mieux, n'est-ce pas, maman?

HECTOR

Vraiment, chérie!

LA PETITE POLYXÈNE

Moi je me sens bien mieux.

La musique des Grecs éclate.

UN MESSAGER

Leurs équipages ont mis pied à terre, Priam!

DEMOKOS

Quelle musique! Quelle horreur de musique! C'est de la musique antitroyenne au plus haut point! Allons les recevoir comme il convient.

HECTOR

Recevez-les royalement et qu'ils soient ici sans encombre. Vous êtes responsables!

LE GÉOMÈTRE

Opposons-leur en tout cas la musique troyenne. Hector, à défaut d'autre indignation, autorisera peut-être le conflit musical?

LA FOULE

Les Grecs! Les Grecs!

UN MESSAGER

Ulysse est sur l'estacade, Priam! Où faut-il le
conduire?

PRIAM

Ici même. Préviens-nous au palais... Toi aussi,
viens, Pâris. Tu n'as pas trop à circuler, en ce
moment.

HECTOR

Allons préparer notre discours aux Grecs, père.

DEMOKOS

Prépare-le un peu mieux que celui aux morts,
tu trouveras plus de contradiction. (*Priam et ses
fils sortent.*) Tu t'en vas aussi, Hécube? Tu t'en
vas sans nous avoir dit à quoi ressemblait la
guerre?

HÉCUBE

Tu tiens à le savoir?

DEMOKOS

Si tu l'as vue, dis-le.

HÉCUBE

A un cul de singe. Quand la guenon est montée
à l'arbre et nous montre un fondement rouge, tout
squameux et glacé, ceint d'une perruque immonde,
c'est exactement la guerre que l'on voit, c'est son
visage.

DEMOKOS

Avec celui d'Hélène, cela lui en fait deux.

Il sort.

ANDROMAQUE

La voilà justement, Hélène. Polyxène, tu te rappelles bien ce que tu as à lui dire?

LA PETITE POLYXÈNE

Oui...

ANDROMAQUE

Va...

HÉLÈNE, LA PETITE POLYXÈNE

HÉLÈNE

Tu veux me parler, chérie?

LA PETITE POLYXÈNE

Oui, tante Hélène.

HÉLÈNE

Ça doit être important, tu es toute raide. Et tu te sens toute raide aussi, je parie?

LA PETITE POLYXÈNE

Oui, tante Hélène.

HÉLÈNE

C'est une chose que tu ne peux pas me dire sans être raide?

LA PETITE POLYXÈNE

Non, tante Hélène.

HÉLÈNE

Alors, dis le reste. Tu me fais mal, raide comme cela.

LA PETITE POLYXÈNE

Tante Hélène, si vous nous aimez, partez!

HÉLÈNE

Pourquoi partirais-je, chérie?

LA PETITE POLYXÈNE

A cause de la guerre.

HÉLÈNE

Tu sais déjà ce que c'est, la guerre?

LA PETITE POLYXÈNE

Je ne sais pas très bien. Je crois qu'on meurt.

HÉLÈNE

La mort aussi tu sais ce que c'est?

LA PETITE POLYXÈNE

Je ne sais pas non plus très bien. Je crois qu'on
ne sent plus rien.

HÉLÈNE

Qu'est-ce qu'Andromaque t'a dit au juste de me
demander?

LA PETITE POLYXÈNE

De partir, si vous nous aimez.

HÉLÈNE

Cela ne me paraît pas très logique. Si tu aimais
quelqu'un, tu le quitterais?

LA PETITE POLYXÈNE

Oh! non! jamais!

HÉLÈNE

Qu'est-ce que tu préférerais, quitter Hécube ou ne plus rien sentir?

LA PETITE POLYXÈNE

Oh! ne rien sentir! Je préférerais rester et ne plus jamais rien sentir...

HÉLÈNE

Tu vois comme tu t'exprimes mal! Pour que je parte, au contraire, il faudrait que je ne vous aime pas. Tu préfères que je ne t'aime pas?

LA PETITE POLYXÈNE

Oh! non! que vous m'aimiez!

HÉLÈNE

Tu ne sais pas ce que tu dis, en somme?

LA PETITE POLYXÈNE

Non...

VOIX D'HÉCUBE

Polyxène!

SCÈNE SEPTIÈME

LES MÊMES, HÉCUBE, ANDROMAQUE

HÉCUBE

Tu es sourde, Polyxène? Et qu'as-tu à fermer les yeux en me voyant? Tu joues à la statue? Viens avec moi.

HÉLÈNE

Elle s'entraîne à ne rien sentir. Mais elle n'est pas douée.

HÉCUBE

Enfin, est-ce que tu m'entends, Polyxène? Est-ce que tu me vois?

LA PETITE POLYXÈNE

Oh! oui! Je t'entends. Je te vois.

HÉCUBE

Pourquoi pleures-tu? Il n'y a pas de mal à me voir et à m'entendre.

LA PETITE POLYXÈNE

Si... Tu partiras...

HÉCUBE

Vous me ferez le plaisir de laisser désormais Polyxène tranquille, Hélène. Elle est trop sensible pour toucher l'insensible, fût-ce à travers votre belle robe et votre belle voix.

HÉLÈNE

C'est bien mon avis. Je conseille à Andromaque de faire ses commissions elle-même. Embrasse-moi, Polyxène. Je pars ce soir, puisque tu y tiens.

LA PETITE POLYXÈNE

Ne partez pas! Ne partez pas!

HÉLÈNE

Bravo! Te voilà souple...

HÉCUBE

Tu viens, Andromaque?

ANDROMAQUE

Non, je reste.

Scène Huitième

HÉLÈNE, ANDROMAQUE

HÉLÈNE

L'explication, alors?

ANDROMAQUE

Je crois qu'il la faut.

HÉLÈNE

Ecoutez-les crier et discuter là-bas, tous tant qu'ils sont! Cela ne suffit pas? Il faut encore que les belles-sœurs s'expliquent? S'expliquent quoi, puisque je pars?

ANDROMAQUE

Que vous partiez ou non, ce n'est plus la question, Hélène.

HÉLÈNE

Dites cela à Hector. Vous faciliterez sa journée.

ANDROMAQUE

Oui, Hector s'accroche à l'idée de votre départ. Il est comme tous les hommes. Il suffit d'un lièvre pour le détourner du fourré où est la panthère.

Le gibier des hommes peut se chasser ainsi. Pas celui des dieux.

HÉLÈNE

Si vous avez découvert ce qu'ils veulent, les dieux, dans toute cette histoire, je vous félicite.

ANDROMAQUE

Je ne sais pas si les dieux veulent quelque chose. Mais l'univers veut quelque chose. Depuis ce matin, tout me semble le réclamer, le crier, l'exiger, les hommes, les bêtes, les plantes... Jusqu'à cet enfant en moi...

HÉLÈNE

Ils réclament quoi?

ANDROMAQUE

Que vous aimiez Pâris.

HÉLÈNE

S'ils savent que je n'aime point Pâris, ils sont mieux renseignés que moi.

ANDROMAQUE

Vous ne l'aimez pas! Peut-être pourriez-vous l'aimer. Mais, pour le moment, c'est dans un malentendu que vous vivez tous deux.

HÉLÈNE

Je vis avec lui dans la bonne humeur, dans l'agrément, dans l'accord. Le malentendu de l'entente, je ne vois pas très bien ce que cela peut être.

ANDROMAQUE

Vous ne l'aimez pas. On ne s'entend pas, dans l'amour. La vie de deux époux qui s'aiment, c'est une perte de sang-froid perpétuel. La dot des vrais couples est la même que celle des couples faux : le désaccord originel. Hector est le contraire de moi. Il n'a aucun de mes goûts. Nous passons notre journée ou à nous vaincre l'un l'autre ou à nous sacrifier. Les époux amoureux n'ont pas le visage clair.

HÉLÈNE

Et si mon teint était de plomb, quand j'approche Pâris, et mes yeux blancs, et mes mains moites, vous pensez que Ménélas en serait transporté, les Grecs épanouis?

ANDROMAQUE

Peu importerait alors ce que pensent les Grecs!

HÉLÈNE

Et la guerre n'aurait pas lieu?

ANDROMAQUE

Peut-être, en effet, n'aurait-elle pas lieu! Peut-être, si vous vous aimiez, l'amour appellerait-il à son secours l'un de ses égaux, la générosité, l'intelligence... Personne, même le destin, ne s'attaque d'un cœur léger à la passion... Et même si elle avait lieu, tant pis!

HÉLÈNE

Ce ne serait sans doute pas la même guerre?

ANDROMAQUE

Oh! non, Hélène! Vous sentez bien ce qu'elle
sera, cette lutte. Le sort ne prend pas tant de
précautions pour un combat vulgaire. Il veut cons-
truire l'avenir sur elle, l'avenir de nos races, de nos
peuples, de nos raisonnements. Et que nos idées
et que notre avenir soient fondés sur l'histoire
d'une femme et d'un homme qui s'aimaient, ce
n'est pas si mal. Mais il ne voit pas que vous
n'êtes qu'un couple officiel... Penser que nous
allons souffrir, mourir, pour un couple officiel, que
la splendeur ou le malheur des âges, que les habitudes des cerveaux et des siècles vont se fonder sur
l'aventure de deux êtres qui ne s'aimaient pas,
c'est là l'horreur.

HÉLÈNE

Si tous croient que nous nous aimons, cela revient au même.

ANDROMAQUE

Ils ne le croient pas. Mais aucun n'avouera qu'il
ne le croit pas. Aux approches de la guerre, tous
les êtres sécrètent une nouvelle sueur, tous les
événements revêtent un nouveau vernis, qui est
le mensonge. Tous mentent. Nos vieillards n'adorent pas la beauté, ils s'adorent eux-mêmes, ils
adorent la laideur. Et l'indignation des Grecs est
un mensonge. Dieu sait s'ils se moquent de ce que
vous pouvez faire avec Pâris, les Grecs! Et leurs
bateaux qui accostent là-bas dans les banderolles
et les hymnes, c'est un mensonge de la mer. Et
la vie de mon fils, et la vie d'Hector vont se jouer
sur l'hypocrisie et le simulacre, c'est épouvantable!

HÉLÈNE

Alors?

ANDROMAQUE

Alors je vous en supplie, Hélène. Vous me voyez là pressée contre vous comme si je vous suppliais de m'aimer. Aimez Pâris! Ou dites-moi que je me trompe! Dites-moi que vous vous tuerez s'il mourait! Que vous accepterez qu'on vous défigure pour qu'il vive!... Alors la guerre ne sera plus qu'un fléau, pas une injustice. J'essaierai de la supporter.

HÉLÈNE

Chère Andromaque, tout cela n'est pas si simple. Je ne passe point mes nuits, je l'avoue, à réfléchir sur le sort des humains, mais il m'a toujours semblé qu'ils se partageaient en deux sortes. Ceux qui sont, si vous voulez, la chair de la vie humaine. Et ceux qui en sont l'ordonnance, l'allure. Les premiers ont le rire, les pleurs, et tout ce que vous voudrez en sécrétions. Les autres ont le geste, la tenue, le regard. Si vous les obligez à ne faire qu'une race, cela ne va plus aller du tout. L'humanité doit autant à ses vedettes qu'à ses martyrs.

ANDROMAQUE

Hélène!

HÉLÈNE

D'ailleurs vous êtes difficile... Je ne le trouve pas si mal que cela, mon amour. Il me plaît, à moi. Evidemment cela ne tire pas sur mon foie ou ma rate quand Pâris m'abandonne pour le jeu de boules ou la pêche au congre. Mais je suis com-

mandée par lui, aimantée par lui. L'aimantation,
c'est aussi un amour, autant que la promiscuité.
C'est une passion autrement ancienne et féconde
que celle qui s'exprime par les yeux rougis de
pleurs ou se manifeste par le frottement. Je suis
aussi à l'aise dans cet amour qu'une étoile dans sa
constellation. J'y gravite, j'y scintille, c'est ma façon
à moi de respirer et d'étreindre. On voit très bien
les fils qu'il peut produire, cet amour, de grands
êtres clairs, bien distincts, avec des doigts annelés
et un nez court. Qu'est-ce qu'il va devenir, si j'y
verse la jalousie, la tendresse et l'inquiétude! Le
monde est déjà si nerveux : voyez vous-même!

ANDROMAQUE

Versez-y la pitié, Hélène. C'est la seule aide dont
ait besoin le monde.

HÉLÈNE

Voilà, cela devait venir, le mot est dit.

ANDROMAQUE

Quel mot?

HÉLÈNE

Le mot pitié. Adressez-vous ailleurs. Je ne suis
pas très forte en pitié.

ANDROMAQUE

Parce que vous ne connaissez pas le malheur!

HÉLÈNE

Je le connais très bien. Et les malheureux aussi.
Et nous sommes très à l'aise ensemble. Tout en-

fant, je passais mes journées dans les huttes collées
au palais, avec les filles de pêcheurs, à dénicher et
à élever des oiseaux. Je suis née d'un oiseau, de
là, j'imagine, cette passion. Et tous les malheurs du
corps humain, pourvu qu'ils aient un rapport avec
les oiseaux, je les connais en détail : le corps du
père rejeté par la marée au petit matin, tout rigide,
avec une tête de plus en plus énorme et frisson-
nante car les mouettes s'assemblent pour picorer
les yeux, et le corps de la mère ivre plumant
vivant notre merle apprivoisé, et celui de la sœur
surprise dans la haie avec l'ilote de service au-
dessous du nid de fauvettes en émoi. Et mon amie
au chardonneret était difforme, et mon amie au
bouvreuil était phtisique. Et malgré ces ailes que
je prêtais au genre humain, je le voyais ce qu'il
est, rampant, malpropre, et misérable. Mais jamais
je n'ai eu le sentiment qu'il exigeait la pitié.

ANDROMAQUE

Parce que vous ne le jugez digne que de mépris.

HÉLÈNE

C'est à savoir. Cela peut venir aussi de ce que,
tous ces malheureux, je les sens mes égaux, de ce
que je les admets, de ce que, ma santé, ma beauté
et ma gloire, je ne les juge pas très supérieures à
leur misère. Cela peut être de la fraternité.

ANDROMAQUE

Vous blasphémez, Hélène.

HÉLÈNE

Les gens ont pitié des autres dans la mesure où

ils auraient pitié d'eux-mêmes. Le malheur ou la
laideur sont des miroirs qu'ils ne supportent pas.
Je n'ai aucune pitié pour moi. Vous verrez, si la
guerre éclate. Je supporte la faim, le mal sans
souffrir, mieux que vous. Et l'injure. Si vous croyez
que je n'entends pas les Troyennes sur mon passage! Et elles me traitent de garce! Et elles disent
que le matin j'ai l'œil jaune. C'est faux ou c'est
vrai. Mais cela m'est égal, si égal!

ANDROMAQUE

Arrêtez-vous, Hélène!

HÉLÈNE

Et si vous croyez que mon œil, dans ma collec-
tion de chromos en couleurs, comme dit votre
mari, ne me montre pas parfois une Hélène vieillie,
avachie, édentée, suçotant accroupie quelque confi-
ture dans sa cuisine! Et ce que le plâtre de mon
grimage peut éclater de blancheur! Et ce que la
groseille peut être rouge! Et ce que c'est coloré
et sûr et certain!... Cela m'est complètement indifférent.

ANDROMAQUE

Je suis perdue...

HÉLÈNE

Pourquoi? S'il suffit d'un couple parfait pour
vous faire admettre la guerre, il y a toujours le
vôtre, Andromaque.

Scène Neuvième

HÉLÈNE, ANDROMAQUE, OIAX, puis HECTOR

OIAX

Où est-il? Où se cache-t-il? Un lâche! Un Troyen!

HECTOR

Qui cherchez-vous?

OIAX

Je cherche Pâris...

HECTOR

Je suis son frère.

OIAX

Belle famille! Je suis Oiax! Qui es-tu?

HECTOR

On m'appelle Hector.

OIAX

Moi je t'appelle beau-frère de pute!

HECTOR

Je vois que la Grèce nous a envoyé des négociateurs. Que voulez-vous?

OIAX

La guerre!

HECTOR

Rien à espérer. Vous la voulez pourquoi?

OIAX

Ton frère a enlevé Hélène.

HECTOR

Elle était consentante, à ce que l'on m'a dit.

OIAX

Une Grecque fait ce qu'elle veut. Elle n'a pas à te demander la permission. C'est un cas de guerre.

HECTOR

Nous pouvons vous offrir des excuses.

OIAX

Les Troyens n'offrent pas d'excuses. Nous ne partirons d'ici qu'avec votre déclaration de guerre.

HECTOR

Déclarez-la vous-mêmes.

OIAX

Parfaitement, nous la déclarerons, et dès ce soir.

HECTOR

Vous mentez. Vous ne la déclarerez pas. Aucune île de l'archipel ne vous suivra si nous ne sommes pas les responsables... Nous ne le serons pas.

OIAX

Tu ne la déclareras pas, toi, personnellement, si je te déclare que tu es un lâche?

HECTOR

C'est un genre de déclaration que j'accepte.

OIAX

Je n'ai jamais vu manquer à ce point de réflexe militaire!... Si je te dis ce que la Grèce entière pense de Troie, que Troie est le vice, la bêtise?...

HECTOR

Troie est l'entêtement. Vous n'aurez pas la guerre.

OIAX

Si je crache sur elle?

HECTOR

Crachez.

OIAX

Si je te frappe, toi son prince?

HECTOR

Essayez.

OIAX

Si je frappe en plein visage le symbole de sa
vanité et de son faux honneur?

HECTOR

Frappez...

OIAX, le giflant.

Voilà... Si madame est ta femme, madame peut
être fière.

HECTOR

Je la connais... Elle est fière.

LES MÊMES, DEMOKOS

DEMOKOS

Quel est ce vacarme! Que veut cet ivrogne, Hector?

HECTOR

Il ne veut rien. Il a ce qu'il veut.

DEMOKOS

Que se passe-t-il, Andromaque?

ANDROMAQUE

Rien.

OIAX

Deux fois rien. Un Grec gifle Hector, et Hector encaisse.

DEMOKOS

C'est vrai, Hector?

HECTOR

Complètement faux, n'est-ce pas, Hélène?

HÉLÈNE

Les Grecs sont très menteurs. Les hommes grecs.

OIAX

C'est de nature qu'il a une joue plus rouge que l'autre?

HECTOR

Oui. Je me porte bien de ce côté-là.

DEMOKOS

Dis la vérité, Hector. Il a osé porter la main sur toi?

HECTOR

C'est mon affaire.

DEMOKOS

C'est affaire de guerre. Tu es la statue même de Troie.

HECTOR

Justement. On ne gifle pas les statues.

DEMOKOS

Qui es-tu, brute? Moi, je suis Demokos, second fils d'Achichaos!

OIAX

Second fils d'Achichaos? Enchanté. Dis-moi, cela est-il aussi grave de gifler un second fils d'Achichaos que de gifler Hector?

DEMOKOS

Tout aussi grave, ivrogne. Je suis chef du Sénat. Si tu veux la guerre, la guerre jusqu'à la mort, tu n'as qu'à essayer.

OIAX

Voilà... J'essaie.

Il gifle Demokos.

DEMOKOS

Troyens! Soldats! Au secours!

HECTOR

Tais-toi, Demokos!

DEMOKOS

Aux armes! On insulte Troie! Vengeance!

HECTOR

Je te dis de te taire.

DEMOKOS

Je crierai! J'ameuterai la ville!

HECTOR

Tais-toi!... Ou je te gifle!

DEMOKOS

Priam! Anchise! Venez voir la honte de Troie.
Elle a Hector pour visage.

HECTOR

Tiens!

Hector a giflé Demokos. Oiax s'esclaffe.

SCÈNE ONZIÈME

LES MÊMES, PRIAM ET LES NOTABLES

Pendant la scène, Priam et les notables viennent se grouper en face du passage par où droit entrer Ulysse.

PRIAM

Pourquoi ces cris, Demokos?

DEMOKOS

On m'a giflé.

OIAX

Va te plaindre à Achichaos!

PRIAM

Qui t'a giflé?

DEMOKOS

Hector! Oiax! Hector! Oiax!

PÂRIS

Qu'est-ce qu'il raconte? Il est fou!

HECTOR

On ne l'a pas giflé du tout, n'est-ce pas, Hélène?

HÉLÈNE

Je regardais pourtant bien, je n'ai rien vu.

OIAX

Ses deux joues sont de la même couleur.

PÂRIS

Les poètes s'agitent souvent sans raison. C'est ce qu'ils appellent leurs transes. Il va nous en sortir notre chant national.

DEMOKOS

Tu me le paieras, Hector...

DES VOIX

Ulysse. Voici Ulysse...

> Oiax s'est avancé tout cordial vers Hector.

OIAX

Bravo! Du cran. Noble adversaire. Belle gifle...

HECTOR

J'ai fait de mon mieux.

OIAX

Excellente méthode aussi. Coude fixe. Poignet biaisé. Grande sécurité pour carpe et métacarpe. Ta gifle doit être plus forte que la mienne.

HECTOR

J'en doute.

OIAX

Tu dois admirablement lancer le javelot avec ce radius en fer et ce cubitus à pivot.

HECTOR

Soixante-dix mètres.

OIAX

Révérence! Mon cher Hector, excuse-moi. Je retire mes menaces. Je retire ma gifle. Nous avons des ennemis communs, ce sont les fils d'Achichaos. Je ne me bats pas contre ceux qui ont avec moi pour ennemis les fils d'Achichaos. Ne parlons plus de guerre. Je ne sais ce qu'Ulysse rumine, mais compte sur moi pour arranger l'histoire...

Il va au-devant d'Ulysse avec lequel il rentrera.

ANDROMAQUE

Je t'aime, Hector.

HECTOR, montrant sa joue.

Oui. Mais ne m'embrasse pas encore tout de suite, veux-tu?

ANDROMAQUE

Tu as gagné encore ce combat. Aie confiance.

HECTOR

Je gagne chaque combat. Mais de chaque victoire l'enjeu s'envole.

PRIAM, HECTOR, PÂRIS, HÉCUBE, LES TROYENS, LE GABIER, OLPIDÈS, IRIS, LES TROYENNES, ULYSSE, OIAX ET LEUR SUITE

ULYSSE

Priam et Hector, je pense?

PRIAM

Eux-mêmes. Et derrière eux, Troie, et les faubourgs de Troie, et la campagne de Troie, et l'Hellespont, et ce pays comme un poing fermé qui est la Phrygie. Vous êtes Ulysse?

ULYSSE

Je suis Ulysse.

PRIAM

Et voilà Anchise. Et derrière lui, la Thrace, le Pont, et cette main ouverte qu'est la Tauride.

ULYSSE

Beaucoup de monde pour une conversation diplomatique.

PRIAM

Et voici Hélène.

ULYSSE

Bonjour, reine.

HÉLÈNE

J'ai rajeuni ici, Ulysse. je ne suis plus que princesse.

PRIAM

Nous vous écoutons.

OIAX

Ulysse, parle à Priam. Moi je parle à Hector.

ULYSSE

Priam, nous sommes venus pour reprendre Hélène.

OIAX

Tu le comprends, n'est-ce pas, Hector? Ça ne pouvait pas se passer comme ça!

ULYSSE

La Grèce et Ménélas crient vengeance.

OIAX

Si les maris trompés ne criaient pas vengeance, qu'est-ce qu'il leur resterait?

ULYSSE

Qu'Hélène nous soit donc rendue dans l'heure même. Ou c'est la guerre.

OIAX

Il y a les adieux à faire.

HECTOR

Et c'est tout?

ULYSSE

C'est tout.

OIAX

Ce n'est pas long, tu vois, Hector?

HECTOR

Ainsi, si nous vous rendons Hélène, vous nous assurez la paix.

OIAX

Et la tranquillité.

HECTOR

Si elle s'embarque dans l'heure, l'affaire est close.

OIAX

Et liquidée.

HECTOR

Je crois que nous allons pouvoir nous entendre, n'est-ce pas, Hélène?

HÉLÈNE

Oui, je le pense.

ULYSSE

Vous ne voulez pas dire qu'Hélène va nous être rendue?

HECTOR

Cela même. Elle est prête.

OIAX

Pour les bagages, elle en aura toujours plus au retour qu'elle en avait au départ.

HECTOR

Nous vous la rendons, et vous garantissez la paix. Plus de représailles, plus de vengance?

OIAX

Une femme perdue, une femme retrouvée, et c'est justement la même. Parfait! N'est-ce pas, Ulysse?

ULYSSE

Pardon! Je ne garantis rien. Pour que nous renoncions à toutes représailles, il faudrait qu'il n'y eût pas prétexte à représailles. Il faudrait que Ménélas retrouvât Hélène dans l'état même où elle lui fut ravie?

HECTOR

A quoi reconnaîtra-t-il un changement?

ULYSSE

Un mari est subtil quand un scandale mondial l'a averti. Il faudrait que Pâris eût respecté Hélène. Et ce n'est pas le cas...

LA FOULE

Ah! non. Ce n'est pas le cas!

DES VOIX

Pas précisément!

HECTOR

Et si c'était le cas?

ULYSSE

Où voulez-vous en venir, Hector?

HECTOR

Pâris n'a pas touché Hélène. Tous deux m'ont fait leurs confidences.

ULYSSE

Quelle est cette histoire?

HECTOR

La vraie histoire, n'est-ce pas Hélène?

HÉLÈNE

Qu'a-t-elle d'extraordinaire?

UNE VOIX

C'est épouvantable! Nous sommes déshonorés!

HECTOR

Qu'avez-vous à sourire, Ulysse? Vous voyez sur Hélène le moindre indice d'une défaillance à son devoir?

ULYSSE

Je ne le cherche pas. L'eau sur le canard marque mieux que la souillure sur la femme.

PÂRIS

Tu parles à une reine.

ULYSSE

Exceptons les reines naturellement... Ainsi, Pâris,
vous avez enlevé cette reine, vous l'avez enlevée
nue; vous-même, je pense, n'étiez pas dans l'eau
avec cuissard et armure; et aucun goût d'elle,
aucun désir d'elle ne vous a saisi?

PÂRIS

Une reine nue est couverte par sa dignité.

HÉLÈNE

Elle n'a qu'à ne pas s'en dévêtir.

ULYSSE

Combien a duré le voyage? J'ai mis trois jours
avec mes vaisseaux, et ils sont plus rapides que les
vôtres.

DES VOIX

Quelles sont ces intolérables insultes à la marine
troyenne?

UNE VOIX

Vos vents sont plus rapides! Pas vos vaisseaux!

ULYSSE

Mettons trois jours, si vous voulez. Où était la
reine, pendant ces trois jours?

PÂRIS

Sur le pont, étendue.

ULYSSE

Et Pâris. Dans la hune?

HÉLÈNE

Etendu près de moi.

ULYSSE

Il lisait, près de vous? Il pêchait la dorade?

HÉLÈNE

Parfois il m'éventait.

ULYSSE

Sans jamais vous toucher?...

HÉLÈNE

Un jour, le deuxième, il m'a baisé la main.

ULYSSE

La main! Je vois. Le déchaînement de la brute.

HÉLÈNE

J'ai cru digne de ne pas m'en apercevoir.

ULYSSE

Le roulis ne vous a pas poussés l'un vers
l'autre?... Je pense que ce n'est pas insulter la
marine troyenne de dire que ses bateaux roulent...

UNE VOIX

Ils roulent beaucoup moins que les bateaux
grecs ne tanguent.

OIAX

Tanguer, nos bateaux grecs! S'ils ont l'air de tanguer c'est à cause de leur proue surélevée et de leur arrière qu'on évide!...

UNE VOIX

Oh! oui! La face arrogante et le cul plat, c'est tout grec...

ULYSSE

Et les trois nuits? Au-dessus de votre couple, les étoiles ont paru et disparu trois fois. Rien ne vous est demeuré, Hélène, de ces trois nuits?

HÉLÈNE

Si... Si! J'oubliais! Une bien meilleure science des étoiles.

ULYSSE

Pendant que vous dormiez, peut-être... il vous a prise...

HÉLÈNE

Un moucheron m'éveille...

HECTOR

Tous deux vous le jureront, si vous voulez, sur votre déesse Aphrodite.

ULYSSE

Je leur en fais grâce. Je la connais, Aphrodite! Son serment favori c'est le parjure... Curieuse histoire, et qui va détruire dans l'Archipel l'idée qu'il y avait des Troyens.

PÂRIS

Que pensait-on, des Troyens, dans l'Archipel?

ULYSSE

On les y croit moins doués que nous pour le
négoce, mais beaux et irrésistibles. Poursuivez vos
confidences, Pâris. C'est une intéressante contribu-
tion à la physiologie. Quelle raison a bien pu vous
pousser à respecter Hélène quand vous l'aviez à
merci?...

PÂRIS

Je... je l'aimais.

HÉLÈNE

Si vous ne savez pas ce que c'est que l'amour,
Ulysse, n'abordez pas ces sujets-là.

ULYSSE

Avouez, Hélène, que vous ne l'auriez pas suivi,
si vous aviez su que les Troyens sont impuissants...

UNE VOIX

C'est une honte!

UNE VOIX

Qu'on le musèle.

UNE VOIX

Amène ta femme, et tu verras.

UNE VOIX

Et ta grand-mère!

ULYSSE

Je me suis mal exprimé. Que Pâris, le beau Pâris fût impuissant...

UNE VOIX

Est-ce que tu vas parler, Pâris. Vas-tu nous rendre la risée du monde?

PÂRIS

Hector, vois comme ma situation est désagréable!

HECTOR

Tu n'en as plus que pour une minute... Adieu, Hélène. Et que ta vertu devienne aussi proverbiale qu'aurait pu l'être ta facilité.

HÉLÈNE

Je n'avais pas d'inquiétude. Les siècles vous donnent toujours le mérite qui est le vôtre.

ULYSSE

Pâris l'impuissant, beau surnom!... Vous pouvez l'embrasser, Hélène, pour une fois.

PÂRIS

Hector!

LE PREMIER GABIER

Est-ce que vous allez supporter cette farce, commandant?

HECTOR

Tais-toi! C'est moi qui commande ici!

LE GABIER

Vous commandez mal! Nous, les gabiers de Pâris, nous en avons assez. Je vais le dire, moi, ce qu'il a fait à votre reine!...

DES VOIX

Bravo! Parle!

LE GABIER

Il se sacrifie sur l'ordre de son frère. Moi, j'étais officier de bord. J'ai tout vu.

HECTOR

Tu t'es trompé.

LE GABIER

Vous pensez qu'on trompe l'œil d'un marin troyen? A trente pas je reconnais les mouettes borgnes. Viens à mon côté, Olpidès. Il était dans la hune, celui-là. Il a tout vu d'en haut. Moi, ma tête passait de l'escalier des soutes. Elle était juste à leur hauteur, comme un chat devant un lit... Faut-il le dire, Troyens!

HECTOR

Silence.

DES VOIX

Parle! Qu'il parle!

LE GABIER

Et il n'y avait pas deux minutes qu'ils étaient à bord, n'est-ce pas, Olpidès?

OLPIDÈS

Le temps d'éponger la reine et de refaire sa
raie. Vous pensez si je voyais la raie de la reine,
du front à la nuque, de là-haut.

LE GABIER

Et il nous a tous envoyés dans la cale, excepté
nous deux qu'il n'a pas vus...

OLPIDÈS

Et sans pilote, le navire filait droit nord. Sans
vents, la voile était franc grosse...

LE GABIER

Et de ma cachette, quand j'aurais dû voir la
tranche d'un seul corps, toute la journée j'ai vu la
tranche de deux, un pain de seigle sur un pain
de blé... Des pains qui cuisaient, qui levaient. De la
vraie cuisson.

OLPIDÈS

Et moi d'en haut j'ai vu plus souvent un seul
corps que deux, tantôt blanc, comme le gabier le
dit, tantôt doré. A quatre bras et quatre jambes...

LE GABIER

Voilà pour l'impuissance! Et pour l'amour moral,
Olpidès, pour la partie affection, dis ce que tu
entendais de ton tonneau! Les paroles des femmes
montent, celles des hommes s'étalent. Je dirai ce
que disait Pâris...

OLPIDÈS

Elle l'a appelé sa perruche, sa chatte.

LE GABIER

Lui son puma, son jaguar. Ils intervertissaient les sexes. C'est de la tendresse. C'est bien connu.

OLPIDÈS

Tu es mon hêtre, disait-elle aussi. Je t'étreins juste comme un hêtre, disait-elle... Sur la mer on pense aux arbres.

LE GABIER

Et toi mon bouleau, lui disait-il, mon bouleau frémissant! Je me rappelle bien le mot bouleau. C'est un arbre russe.

OLPIDÈS

Et j'ai dû rester jusqu'à la nuit dans la hune. On a faim et soif là-haut. Et le reste.

LE GABIER

Et quand ils se désenlaçaient, ils se léchaient du bout de la langue, parce qu'ils se trouvaient salés.

OLPIDÈS

Et quand ils se sont mis debout, pour aller enfin se coucher, ils chancelaient...

LE GABIER

Et voilà ce qu'elle aurait eu, ta Pénélope avec cet impuissant.

DES VOIX

Bravo! Bravo!

UNE VOIX DE FEMME

Gloire à Pâris.

UN HOMME JOVIAL

Rendons à Pâris ce qui revient à Pâris!

HECTOR

Ils mentent, n'est-ce pas, Hélène?

ULYSSE

Hélène écoute, charmée.

HÉLÈNE

J'oubliais qu'il s'agissait de moi. Ces hommes ont de la conviction.

ULYSSE

Ose dire qu'ils mentent, Pâris?

PÂRIS

Dans les détails, quelque peu.

LE GABIER

Ni dans le gros ni dans les détails. N'est-ce pas, Olpidès! Vous contestez vos expressions d'amour, commandant? Vous contestez le mot puma?

PÂRIS

Pas spécialement le mot puma!...

LE GABIER

Le mot bouleau, alors? Je vois. C'est le mot bouleau frémissant qui vous offusque. Tant pis, vous l'avez dit. Je jure que vous l'avez dit, et d'ailleurs il n'y a pas à rougir du mot bouleau. J'en ai vu, des bouleaux frémissants, l'hiver, le long de la Caspienne; et, sur la neige, avec leurs bagues d'écorce noire qui semblaient séparées par le vide, on se demandait ce qui portait les branches. Et j'en ai vu en plein été, dans le chenal près d'Astrakhan, avec leurs bagues blanches comme celles des bons champignons, juste au bord de l'eau, mais aussi dignes que le saule est mollasse. Et quand vous avez dessus un de ces gros corbeaux gris et noir, tout l'arbre tremble, plie à casser, et je lui lançais des pierres jusqu'à ce qu'il s'envolât, et toutes les feuilles alors me parlaient et me faisaient signe. Et à les voir frissonner, en or par-dessus, en argent, par-dessous, vous vous sentez le cœur plein de tendresse! Moi, j'en aurais pleuré, n'est-ce pas, Olpidès! Voilà ce que c'est qu'un bouleau!

LA FOULE

Bravo! Bravo!

UN AUTRE MARIN

Et il n'y a pas que le gabier et Olpidès qui les aient vus, Priam. Du soutier à l'enseigne, nous étions tous ressortis du navire par les hublots, et tous, cramponnés à la coque, nous regardions par-dessous la lisse. Le navire n'était qu'un instrument à voir.

UN TROISIÈME MARIN

A voir l'amour.

ULYSSE

Et voilà, Hector!

HECTOR

Taisez-vous tous.

LE GABIER

Tiens, fais taire celle-là!

Iris apparaît dans le ciel.

LE PEUPLE

Iris! Iris!

PÂRIS

C'est Aphrodite qui t'envoie?

IRIS

Oui, Aphrodite; elle me charge de vous dire que l'amour est la loi du monde. Que tout ce qui double l'amour devient sacré, que ce soit le mensonge, l'avarice, ou la luxure. Que tout amoureux, elle le prend sous sa garde, du roi au berger en passant par l'entremetteur. J'ai bien dit : l'entremetteur. S'il en est un ici, qu'il soit salué. Et qu'elle vous interdit à vous deux, Hector et Ulysse, de séparer Pâris d'Hélène. Ou il y aura la guerre.

PÂRIS, LES VIEILLARDS

Merci, Iris!

HECTOR

Et de Pallas aucun message?

IRIS

Oui, Pallas me charge de vous dire que la raison est la loi du monde. Tout être amoureux, vous fait-elle dire, déraisonne. Elle vous demande de lui

avouer franchement s'il y a plus bête que le coq
sur la poule ou la mouche sur la mouche. Elle
n'insiste pas. Et elle vous ordonne, à vous Hector
et vous Ulysse, de séparer Hélène de ce Pâris à
poil frisé. Ou il y aura la guerre...

HECTOR, les femmes.

Merci, Iris!

PRIAM

O mon fils, ce n'est ni Aphrodite ni Pallas qui
règle l'univers. Que nous commande Zeus dans
cette incertitude?

IRIS

Zeus, le maître des dieux, vous fait dire que
ceux qui ne voient que l'amour dans le monde
sont aussi bêtes que ceux qui ne le voient pas.
La sagesse, vous fait dire Zeus, le maître des dieux,
c'est tantôt de faire l'amour et tantôt de ne pas
le faire. Les prairies semées de coucous et de vio-
lettes, à son humble et impérieux avis, sont aussi
douces à ceux qui s'étendent l'un sur l'autre qu'à
ceux qui s'étendent l'un près de l'autre, soit qu'ils
lisent, soit qu'ils soufflent sur la sphère aérée du
pissenlit, soit qu'ils pensent au repas du soir ou à
la république. Il s'en rapporte donc à Hector et à
Ulysse pour que l'on sépare Hélène et Pâris tout
en ne les séparant pas. Il ordonne à tous les autres
de s'éloigner, et de laisser face à face les négociateurs. Et que ceux-là s'arrangent pour qu'il n'y ait
pas la guerre. Ou alors, il vous le jure et il n'a
jamais menacé en vain, il vous jure qu'il y aura la
guerre.

HECTOR

A vos ordres, Ulysse!

ULYSSE

A vos ordres.

> Tous se retirent. On voit une grande écharpe se former
> dans le ciel.

HÉLÈNE

C'est bien elle. Elle a oublié sa ceinture à mi-
chemin.

Scène Treizième

ULYSSE, HECTOR

HECTOR

Et voilà le vrai combat, Ulysse.

ULYSSE

Le combat d'où sortira ou ne sortira pas la guerre, oui.

HECTOR

Elle en sortira?

ULYSSE

Nous allons le savoir dans cinq minutes.

HECTOR

Si c'est un combat de paroles, mes chances sont faibles.

ULYSSE

Je crois que cela sera plutôt une pesée. Nous avons vraiment l'air d'être chacun sur le plateau d'une balance. Le poids parlera...

HECTOR

Mon poids? Ce que je pèse, Ulysse? Je pèse un homme jeune, une femme jeune, un enfant à naître. Je pèse la joie de vivre, la confiance de vivre, l'élan vers ce qui est juste et naturel.

ULYSSE

Je pèse l'homme adulte, la femme de trente ans, le fils que je mesure chaque mois avec des encoches, contre le chambranle du palais... Mon beau-père prétend que j'abîme la menuiserie... Je pèse la volupté de vivre et la méfiance de la vie.

HECTOR

Je pèse la chasse, le courage, la fidélité, l'amour.

ULYSSE

Je pèse la circonspection devant les dieux, les hommes, et les choses.

HECTOR

Je pèse le chêne phrygien, tous les chênes phrygiens feuillus et trapus, épars sur nos collines avec nos bœufs frisés.

ULYSSE

Je pèse l'olivier.

HECTOR

Je pèse le faucon, je regarde le soleil en face.

ULYSSE

Je pèse la chouette.

HECTOR

Je pèse tout un peuple de paysans débonnaires, d'artisans laborieux, de milliers de charrues, de métiers à tisser, de forges et d'enclumes... Oh! pourquoi, devant vous, tous ces poids me paraissent-ils tout à coup si légers!

ULYSSE

Je pèse ce que pèse cet air incorruptible et impitoyable sur la côte et sur l'archipel.

HECTOR

Pourquoi continuer? la balance s'incline.

ULYSSE

De mon côté?... Oui, je le crois.

HECTOR

Et vous voulez la guerre?

ULYSSE

Je ne la veux pas. Mais je suis moins sûr de ses intentions à elle.

HECTOR

Nos peuples nous ont délégués tous deux ici pour la conjurer. Notre seule réunion signifie que rien n'est perdu...

ULYSSE

Vous êtes jeune, Hector!... A la veille de toute guerre, il est courant que deux chefs des peuples en conflit se rencontrent seuls dans quelque innocent village, sur la terrasse au bord d'un lac, dans l'angle d'un jardin. Et ils conviennent que la guerre est le pire fléau du monde, et tous deux, à suivre du regard ces reflets et ces rides sur les eaux, à recevoir sur l'épaule ces pétales de magnolias, ils sont pacifiques, modestes, loyaux. Et ils s'étudient. Ils se regardent. Et, tiédis par le soleil, attendris par un vin clairet, ils ne trouvent dans le visage d'en face aucun trait qui justifie la haine, aucun trait qui n'appelle l'amour humain, et rien d'incompatible non plus dans leurs langages, dans leur façon de se gratter le nez ou de boire. Et ils sont vraiment combles de paix, de désirs de paix. Et ils se quittent en se serrant les mains, en se sentant des frères. Et ils se retournent de leur calèche pour se sourire... Et le lendemain pourtant éclate la guerre... Ainsi nous sommes tous deux maintenant... Nos peuples autour de l'entretien se taisent et s'écartent, mais ce n'est pas qu'ils attendent de nous une victoire sur l'inéluctable. C'est seulement qu'ils nous ont donné pleins pouvoirs, qu'ils nous ont isolés, pour que nous goûtions mieux, au-dessus de la catastrophe, notre fraternité d'ennemis. Goûtons-la. C'est un plat de riches. Savourons-la... Mais c'est tout. Le privilège des grands, c'est de voir les catastrophes d'une terrasse.

HECTOR

C'est une conversation d'ennemis que nous avons là?

ULYSSE

C'est un duo avant l'orchestre. C'est le duo des récitants avant la guerre. Parce que nous avons été

créés sensés, justes et courtois, nous nous parlons,
une heure avant la guerre, comme nous nous par-
lerons longtemps après, en anciens combattants.
Nous nous réconcilions avant la lutte même, c'est
toujours cela. Peut-être d'ailleurs avons-nous tort.
Si l'un de nous doit un jour tuer l'autre et arra-
cher pour reconnaître sa victime la visière de son
casque, il vaudrait peut-être mieux qu'il ne lui
donnât pas un visage de frère... Mais l'univers le
sait, nous allons nous battre.

HECTOR

L'univers peut se tromper. C'est à cela qu'on
reconnaît l'erreur, elle est universelle.

ULYSSE

Espérons-le. Mais quand le destin, depuis des
années, a surélevé deux peuples, quand il leur a
ouvert le même avenir d'invention et d'omnipo-
tence, quand il a fait de chacun, comme nous
l'étions tout à l'heure sur la bascule, un poids pré-
cieux et différent pour peser le plaisir, la conscience et jusqu'à la nature, quand par leurs ar-
chitectes, leurs poètes, leurs teinturiers, il leur a
donné à chacun un royaume opposé de volumes,
de sons et de nuances, quand il leur a fait inventer
le toit en charpente troyen et la voûte thébaine,
le rouge phrygien et l'indigo grec, l'univers sait
bien qu'il n'entend pas préparer ainsi aux hommes
deux chemins de couleur et d'épanouissement, mais
se ménager son festival, le déchaînement de cette
brutalité et de cette folie humaines qui seules ras-
surent les dieux. C'est de la petite politique, j'en

conviens. Mais nous sommes chefs d'Etat, nous
pouvons bien entre nous deux le dire : c'est cou-
ramment celle du Destin.

HECTOR

Et c'est Troie et c'est la Grèce qu'il a choisies
cette fois?

ULYSSE

Ce matin j'en doutais encore. J'ai posé le pied
sur votre estacade, et j'en suis sûr.

HECTOR

Vous vous êtes senti sur un sol ennemi?

ULYSSE

Pourquoi toujours revenir à ce mot ennemi! Faut-
il vous le redire? Ce ne sont pas les ennemis na-
turels qui se battent. Il est des peuples que tout
désigne pour une guerre, leur peau, leur langue
et leur odeur, ils se jalousent, ils se haïssent, ils
ne peuvent pas se sentir... Ceux-là ne se battent
jamais. Ceux qui se battent, ce sont ceux que le
sort a lustrés et préparés pour une même guerre :
ce sont les adversaires.

HECTOR

Et nous sommes prêts pour la guerre grecque?

ULYSSE

A un point incroyable. Comme la nature munit
les insectes dont elle prévoit la lutte, de faiblesses
et d'armes qui se correspondent, à distance, sans
que nous nous connaissions, sans que nous nous

en doutions, nous nous sommes élevés tous deux
au niveau de notre guerre. Tout correspond de nos
armes et de nos habitudes comme des roues à pi-
gnon. Et le regard de vos femmes, et le teint de
vos filles sont les seuls qui ne suscitent en nous ni
la brutalité ni le désir, mais cette angoisse du
cœur et de la joie qui est l'horizon de la guerre.
Frontons et leurs soutaches d'ombre et de feu, hen-
nissements des chevaux, péplums disparaissant à
l'angle d'une colonnade, le sort a tout passé chez
vous à cette couleur d'orage qui m'impose pour la
première fois le relief de l'avenir. Il n'y a rien à
faire. Vous êtes dans la lumière de la guerre
grecque.

HECTOR

Et c'est ce que pensent aussi les autres Grecs?

ULYSSE

Ce qu'ils pensent n'est pas plus rassurant. Les
autres Grecs pensent que Troie est riche, ses
entrepôts magnifiques, sa banlieue fertile. Ils
pensent qu'ils sont à l'étroit sur du roc. L'or de
vos temples, celui de vos blés et de votre colza,
ont fait à chacun de nos navires, de nos promon-
toires, un signe qu'il n'oublie pas. Il n'est pas
très prudent d'avoir des dieux et des légumes trop
dorés.

HECTOR

Voilà enfin une parole franche... La Grèce en
nous s'est choisi une proie. Pourquoi alors une
déclaration de guerre? Il était plus simple de profi-

ter de mon absence pour bondir sur Troie. Vous
l'auriez eue sans coup férir.

ULYSSE

Il est une espèce de consentement à la guerre
que donne seulement l'atmosphère, l'acoustique et
l'humeur du monde. Il serait dément d'entre-
prendre une guerre sans l'avoir. Nous ne l'avions
pas.

HECTOR

Vous l'avez maintenant!

ULYSSE

Je crois que nous l'avons.

HECTOR

Qui vous l'a donnée contre nous? Troie est répu-
tée pour son humanité, sa justice, ses arts!

ULYSSE

Ce n'est pas par des crimes qu'un peuple se met
en situation fausse avec son destin, mais par des
fautes. Son armée est forte, sa caisse abondante,
ses poètes en plein fonctionnement. Mais un jour,
on ne sait pourquoi, du fait que ses citoyens
coupent méchamment les arbres, que son prince
enlève vilainement une femme, que ses enfants
adoptent une mauvaise turbulence, il est perdu.
Les nations, comme les hommes, meurent d'im-
perceptibles impolitesses. C'est à leur façon d'éter-
nuer ou d'éculer leurs talons qui se reconnaissent
les peuples condamnés... Vous avez sans doute mal
enlevé Hélène...

HECTOR

Vous voyez la proportion entre le rapt d'une femme et la guerre où l'un de nos peuples périra?

ULYSSE

Nous parlons d'Hélène. Vous vous êtes trompés sur Hélène. Pâris et vous. Depuis quinze ans je la connais, je l'observe. Il n'y a aucun doute. Elle est une des rares créatures que le destin met en circulation sur la terre pour son usage personnel. Elles n'ont l'air de rien. Elles sont parfois une bourgade, presque un village, une petite reine, presque une petite fille, mais si vous les touchez, prenez garde! C'est là la difficulté de la vie, de distinguer, entre les êtres et les objets, celui qui est l'otage du destin. Vous ne l'avez pas distingué. Vous pouviez toucher impunément à nos grands amiraux, à nos rois. Pâris pouvait se laisser aller sans danger dans les lits de Sparte ou de Thèbes, à vingt généreuses étreintes. Il a choisi le cerveau le plus étroit, le cœur le plus rigide, le sexe le plus étroit... Vous êtes perdus.

HECTOR

Nous vous rendons Hélène.

ULYSSE

L'insulte au destin ne comporte pas la restitution.

HECTOR

Pourquoi discuter alors! Sous vos paroles, je vois

er.fin la vérité. Avouez-le. Vous voulez nos richesses!
Vous avez fait enlever Hélène pour avoir à la
guerre un prétexte honorable! J'en rougis pour la
Grèce. Elle en sera éternellement responsable et
honteuse.

ULYSSE

Responsable et honteuse? Croyez vous! Les deux
mots ne s'accordent guère. Si nous nous savions
vraiment responsables de la guerre, il suffirait à
notre génération actuelle de nier et de mentir
pour assurer la bonne foi et la bonne conscience
de toutes nos générations futures. Nous mentirons.
Nous nous sacrifierons.

HECTOR

Eh bien, le sort en est jeté, Ulysse! Va pour la
guerre! A mesure que j'ai plus de haine pour elle,
il me vient d'ailleurs un désir plus incoercible de
tuer... Partez, puisque vous me refusez votre aide...

ULYSSE

Comprenez-moi, Hector!... Mon aide vous est
acquise. Ne m'en veuillez pas d'interpréter le sort.
J'ai voulu seulement lire dans ces grandes lignes
que sont, sur l'univers, les voies des caravanes, les
chemins des navires, le tracé des grues volantes et
des races. Donnez-moi votre main. Elle aussi a ses
lignes. Mais ne cherchons pas si leur leçon est la
même. Admettons que les trois petites rides au
fond de la main d'Hector disent le contraire de ce
qu'assurent les fleuves, les vols et les sillages. Je

suis curieux de nature, et je n'ai pas peur. Je veux
bien aller contre le sort. J'accepte Hélène. Je la
rendrai à Ménélas. Je possède beaucoup plus d'élo-
quence qu'il n'en faut pour faire croire un mari
à la vertu de sa femme. J'amènerai même Hélène
à y croire elle-même. Et je pars à l'instant, pour
éviter toute surprise. Une fois au navire, peut-être
risquons-nous de déjouer la guerre.

HECTOR

Est-ce là la ruse d'Ulysse, ou sa grandeur?

ULYSSE

Je ruse en ce moment contre le destin, non
contre vous. C'est mon premier essai et j'y ai plus
de mérite. Je suis sincère, Hector... Si je voulais la
guerre, je ne vous demanderais pas Hélène, mais
une rançon qui vous est plus chère... Je pars... Mais
je ne peux me défendre de l'impression qu'il est
bien long, le chemin qui va de cette place à mon
navire.

HECTOR

Ma garde vous escorte.

ULYSSE

Il est long comme le parcours officiel des rois en
visite quand l'attentat menace... Où se cachent les
conjurés? Heureux nous sommes, si ce n'est pas
dans le ciel même... Et le chemin d'ici à ce coin
du palais est long... Et long mon premier pas...
Comment va-t-il se faire, mon premier pas...
entre tous ces périls?... Vais-je glisser et me tuer?...
Une corniche va-t-elle s'effondrer sur moi de cet

angle? Tout est maçonnerie neuve ici, et j'attends
la pierre croulante... Du courage... Allons-y.

Il fait un premier pas.

HECTOR

Merci, Ulysse.

ULYSSE

Le premier pas va... Il en reste combien?

HECTOR

Quatre cent soixante.

ULYSSE

Au second! Vous savez ce qui me décide à partir,
Hector...

HECTOR

Je le sais. La noblesse.

ULYSSE

Pas précisément... Andromaque a le même batte-
ment de cils que Pénélope.

SCÈNE QUATORZIÈME

ANDROMAQUE, CASSANDRE, HECTOR,
ABNÉOS, puis OIAX, puis DEMOKOS

HECTOR
Tu étais là, Andromaque?

ANDROMAQUE
Soutiens-moi. Je n'en puis plus!

HECTOR
Tu nous écoutais?

ANDROMAQUE
Oui. Je suis brisée.

HECTOR
Tu vois qu'il ne nous faut pas désespérer...

ANDROMAQUE
De nous peut-être. Du monde, oui... Cet homme
est effroyable. La misère du monde est sur moi.

HECTOR
Une minute encore, et Ulysse est à son bord...

Il marche vite. D'ici l'on suit son cortège. Le voilà
déjà en face des fontaines. Que fais-tu?

ANDROMAQUE

Je n'ai plus la force d'entendre. Je me bouche
les oreilles. Je n'enlèverai pas mes mains avant que
notre sort soit fixé...

HECTOR

Cherche Hélène, Cassandre!

> Oiax entre sur la scène, de plus en plus ivre. Il voit
> Andromaque de dos.

CASSANDRE

Ulysse vous attend au port, Oiax. On vous y
conduit Hélène.

OIAX

Hélène! Je me moque d'Hélène! C'est celle-là
que je veux tenir dans mes bras.

CASSANDRE

Partez, Oiax. C'est la femme d'Hector.

OIAX

La femme d'Hector! Bravo! J'ai toujours préféré
les femmes de mes amis, de mes vrais amis!

CASSANDRE

Ulysse est déjà à mi-chemin... Partez.

OIAX

Ne te fâche pas. Elle se bouche les oreilles. Je
peux donc tout lui dire, puisqu'elle n'entendra

pas. Si je la touchais, si je l'embrassais, évidemment! Mais des paroles qu'on n'entend pas, rien de moins grave.

CASSANDRE

Rien de plus grave. Allez, Oiax!

> Oiax, pendant que Cassandre essaie par la force de l'éloigner d'Andromaque et que Hector lève peu à peu son javelot.

Tu crois? Alors autant la toucher. Autant l'embrasser. Mais chastement!... Toujours chastement, les femmes des vrais amis! Qu'est-ce qu'elle a de plus chaste, ta femme, Hector, le cou? Voilà pour le cou.. L'oreille aussi m'a un gentil petit air tout à fait chaste! Voilà pour l'oreille... Je vais te dire, moi, ce que j'ai toujours trouvé de plus chaste dans la femme... Laisse-moi!... Laisse-moi!... Elle n'entend pas les baisers non plus... Ce que tu es forte!... Je viens... Je viens... Adieu. (*Il sort.*)

> Hector baisse imperceptiblement son javelot. A ce moment Demokos fait irruption.

DEMOKOS

Quelle est cette lâcheté? Tu rends Hélène? Troyens, aux armes! On nous trahit... Rassemblez-vous... Et votre chant de guerre est prêt! Ecoutez votre chant de guerre!

HECTOR

Voilà pour ton chant de guerre

DEMOKOS, tombant.

Il m'a tué!

HECTOR

La guerre n'aura pas lieu, Andromaque !

Il essaie de détacher les mains d'Andromaque qui
résiste, les yeux fixés sur Demokos. Le rideau qui
avait commencé à tomber se relève peu à peu.

ABNÉOS

On a tué Demokos! Qui a tué Demokos?

DEMOKOS

Qui m'a tué?... Oiax!... Oiax!... Tuez-le!

ABNÉOS

Tuez Oiax!

HECTOR

Il ment. C'est moi qui l'ai frappé.

DEMOKOS

Non. C'est Oiax...

ABNÉOS

Oiax a tué Demokos... Rattrapez-le!... Châtiez-le!

HECTOR

C'est moi, Demokos, avoue-le! Avoue-le, ou je
t'achève!

DEMOKOS

Non, mon cher Hector, mon bien cher Hector.
C'est Oiax! Tuez Oiax!

CASSANDRE

Il meurt, comme il a vécu, en coassant.

ABNÉOS

Voilà... Ils tiennent Oiax... Voilà. Ils l'ont tué!

HECTOR détachant les mains d'Andromaque.

Elle aura lieu.

Les portes de la guerre s'ouvrent lentement. Elles découvrent Hélène qui embrasse Troïlus.

CASSANDRE

Le poète troyen est mort... La parole est au poète grec.

LE RIDEAU TOMBE DEFINITIVEMENT.

TABLE

BRODARD ET TAUPIN — IMPRIMEUR - RELIEUR
Paris-Coulommiers. — France.
05.689-IV-12-2408 - Dépôt légal n° 4061, 4ᵉ trimestre 1964.
LE LIVRE DE POCHE - 4, rue de Galliéra, Paris.

LE LIVRE DE POCHE
CLASSIQUE

VOLUMES PARUS et A PARAITRE DANS LE 2e SEMESTRE 1964

CLASSIQUES
DE POCHE RELIÉS

Les œuvres des grands auteurs classiques, dans le texte intégral et présentés par les meilleurs écrivains contemporains.
Une présentation particulièrement soignée, format 17,5 × 11,5, reliure de luxe pleine toile, titre or, fers spéciaux, tranchefile, gardes illustrées, sous rodhoïd transparent.

BALZAC
- S. Une ténébreuse affaire.
- D. Le cousin Pons.
- D. La cousine Bette.
- D. Le père Goriot.
- D. La Rabouilleuse.
- D. Les Chouans.
- S. La Duchesse de Langeais.
- S. Le Colonel Chabert.

BAUDELAIRE
- S. Les Fleurs du Mal.
- S. Le Spleen de Paris.

CHODERLOS DE LACLOS
- D. Les liaisons dangereuses.

DOSTOIEVSKI
- S. L'éternel mari.
- D. L'idiot, tome I.
- D. L'idiot, tome II.
- S. Le joueur.

DUCASSE (Lautréamont)
- D. Œuvres complètes (Les Chants de Maldoror).

FLAUBERT
- D. Madame Bovary.

GOGOL
- D. Les âmes mortes.

HOMÈRE
- D. Odyssée.

VICTOR HUGO
- D. Les misérables, tome I.
- D. Les misérables, tome II.
- D. Les misérables, tome III.

LA FONTAINE
- D. Fables.

MACHIAVEL
- S. Le prince.

MÉRIMÉE
- D. Colomba.

NIETZSCHE
- D. Ainsi parlait Zarathoustra.

OVIDE
- S. L'art d'aimer.

PASCAL
- D. Pensées.

POE
- D. Histoires extraordinaires.
- S. Nouvelles histoires extraordinaires.

ABBÉ PRÉVOST
- S. Manon Lescaut.

RABELAIS
- D. Pantagruel.

RIMBAUD
- S. Poésies complètes.

STENDHAL
- D. La chartreuse de Parme.
- D. Le rouge et le noir.

SUÉTONE
- D. Vies des douze Césars.

TACITE
- D. Histoires.

TOLSTOI
- D. Anna Karénine, tome I.
- D. Anna Karénine, tome II.
- S. La sonate à Kreutzer.
- S. Enfance et adolescence.

VERLAINE
- S. Poèmes Saturniens.
- S. Jadis et Naguère. Parallèlement.

VILLON
- S. Poésies complètes.

VOLUMES PARUS ET A PARAITRE
DANS LE 2e SEMESTRE 1964

BALZAC
D. La Vieille fille. Le Cabinet des Antiques.

BAUDELAIRE
S. Paradis artificiels.

CHATEAUBRIAND
T. Mémoires d'outre-tombe, tome I.
T. Mémoires d'outre-tombe, tome II.
T. Mémoires d'outre-tombe, tome III.

DOSTOIEVSKI
D. Crime et châtiment, tome I.

D. Crime et châtiment, tome II.

MARY
S. Tristan et Iseut.

MUSSET
D. Théâtre, tome I.

NERVAL
S. Poésies.

RONSARD
D. Les Amours.

SHAKESPEARE
D. Hamlet-Othello-Macbeth.

SOPHOCLE
D. Tragédies.

S. (Volume simple) 3,90 F *taxe locale incluse.*
D. (Volume double) 4,90 F *taxe locale incluse.*
T. (Volume triple) 5,90 F *taxe locale incluse.*

LE LIVRE DE POCHE
EXPLORATION